KB004483

Les étoiles ,
Recueil de contes Alphonse Daudet

Alphonse Daudet

sodampublishingcompany

LETTRES DE MON MOULIN by Alphonse DAUDET
Illustration by Danièle BOUR

Copyright ⓒ Editions Grasset & Fasquelle, Paris, 1995
Korean Translation Copyright ⓒ SODAM Publishing Co., 2004
All rights reserved.

This Korean edition was published by arrangement
with Editions Grasset (Paris) through Bestun Korea Agency Co., Seoul

Les étoiles, Recueil de contes *Alphonse Daudet*
별, 알퐁스 도데 단편집

펴낸날 2004년 1월
10일 초판 1쇄 **지은이** 알퐁스 도데 **옮긴이** 이원희 **그린이** 다니엘 부르 **펴낸이**
이태권 **펴낸곳** 소담출판사 서울시 성북구 성북동 178-2 (우)136-020 **전화** 745-
8566~7 **팩스** 747-3238 E-mail sodam@dreamsodam.co.kr **등록번호** 제2-42
호(1979년 11월 14일) **홈페이지** www.dreamsodam.co.kr **기획 편집** 박지근
이장선 가정실 구경진 마현숙 **미술** 김미란 이종훈 이성희 **본부장** 홍순형 **영업**
박종천 장순찬 이도림 **관리** 유지윤 안찬숙 장명자

ISBN 89-7381-759-0 04800 **ISBN** 89-7381-790-6 04800 (5권세트)
●책 가격은 뒤표지에 있습니다.

별,

알퐁스 도데 지음

이원희 옮김

다니엘 부르 삽화

sodampublishingcompany

Les étoiles,

Recueil de contes Alphonse Daudet

모든 별들 중에서 가장 아름다운 별은
새벽과 저녁에 길을 밝혀주는 금성, 즉 '목동의 별' 이지요.
이 별은 7년마다 한 번씩 결혼을 한답니다.

Les étoiles ,

Recueil de contes Alphonse Daudet

알퐁스 도데

Les étoiles ,

Recueil de contes Alphonse Daudet

머릿말 *Avant-propos*

팡페리구스트 주재 공증인 오노라 그라파지 선생 입회하에 비베트 코르니유*(풍차 방앗간의 주인이었던 코르니유 영감의 손녀이며, 이 작품 속 「코르니유 영감의 비밀」에 묘사되어 있다_역주)의 남편이자 '매밋골'이라는 마을을 관리하는 가스파르 미티피오 씨가 참석했다.

이들은 모든 부채와 특권과 저당권에 대한 법적, 사실적 보증인으로서 현재 파리에 거주하는 시인 알퐁스 도데 씨에게 다음의 물건을 매각하고 양도했다.

론 강 유역 프로방스 지방 중심부의 솔숲과 떡갈나무 숲 언덕에 위치한 풍차 방앗간, 풍차의 날개를 뒤덮을 정도로 야생 포도나무며 이끼, 로즈메리, 기생식물이 기어올라가 있는 것으로 미루어 20년 넘게 버려진 것이 명백한 방앗간.

도데 씨는 바퀴가 부서지고, 마당에는 잡초가 무성한데도 시 작업에 도움이 되는 현재 상태 그대로의 방앗간을 만족스럽게 생각하며, 수리비용 때문에 매도인에게 어떤 도움도 청하지 않을 것이라고 확언했다.

풍차 방앗간 매매는 시인 도데 씨가 약정된 가격을 책상 위에 현금으로 내놓는 일괄 계약으로 이루어졌다. 그리고 미티피오 씨는 아래에 서명한 공증인과 증인들이 보는 앞에서 그 전액을 받고, 영수증을 발급했다.

이 매매 계약은 팡페리구스트의 오노라 공증인의 사무실에서 피리 부는 프랑세 마마이, 속죄자들의 십자가를 받드는 키크라고 불리는 루이세가 참석한 가운데 이루어졌다.

이들은 계약 당사자들과 공증인과 함께 서명했다.

방앗간에 *Installation*
입주하는 날

토끼들이 어쩌나 화들짝 놀라던지! 늘 닫혀 있는 문, 잡초만 무성한 벽이며 지붕을 보아온 지가 하도 오래된 탓인지 토끼들은 마침내 방앗간 주인들이라는 족속은 아주 없어진 거라고 믿었던 모양이다. 그래서 좋은 장소를 찾아냈다고 생각한 토끼들은 방앗간을 일종의 사령부 같은 곳, 즉 작전 본부로 사용하고 있었다. 토끼들의 옘마페스*(1792년 11월 6일 옘마페스 전투에서 프랑스군이 승리를 거둠으로써 당시 오스트리아의 지배를 받던 벨기에는 프랑스에 합병되었다_역주) 방앗간이라고나 할까……. 내가 도착한 날 밤, 꽤 많은 토끼들이 있었는데 정확하게 스무 마리가 둥그렇게 둘러앉아 한 줄기의 달빛에 발을 녹이는 중이었다. 그게 안쓰러워 빛들이 창을 열어주는 순간, 후닥닥! 그야말로 아수라장이 되어버린 야영지, 짧은 꼬리를 쭈뼛 세우고는 걸음아 날 살려라 덤불속으로 줄행랑치는 하얀 엉덩이들. 나는 녀석들이 꼭 돌아오길 바란다.

나를 보고 소스라치게 놀란 또 한 녀석은 험상궂게 생겨가지고 사색가 같은 낯짝을 하고 있는 늙은 올빼미였는데, 이 방앗간 위층에 20년 넘게 세 들어 살고 있으니 터줏대감인 셈이다. 석회 부스러기와 떨어진 기왓장들에 파묻힌 방아 주축대에 올라앉은 올빼미는 꼿꼿한 자세로 꿈쩍도 하지않고 있었다. 녀석은 그 뚱그란 눈으로 나를 말똥말똥 쳐다보다가 낯선 사람이라는 걸 알고 그제야 겁이 났는지 "호오! 호오!" 하고 울더니 먼지가 뿌옇게 앉은 날개를 힘겹게 푸드덕푸드덕 쳐댔다. 괴팍한 사색가들이라니! 그 동안 그래 솔질도 한 번 하지 않았다는 건가……. 그런들 어떠랴! 눈을 번뜩이며 우거지상을 하고 있어도 이 조용한 올빼미가 다른 어떤 것보다도 내 마음에 쏙 드는 것을. 나는 서둘러서 올빼미

와 임대차 계약을 새롭게 맺었다. 녀석은 종전대로 지붕을 통해 들락거리는 꼭대기 방을 차지하고, 나는 하얗게 회칠한 아래층 작은 방, 수도원 식당처럼 천장이 둥글고 낮은 방을 차지했다.

나는 지금 대문을 활짝 열어놓고 양지바른 곳에서 편지를 쓰고 있다.

눈앞에는 햇빛으로 눈부신 멋진 솔숲이 언덕 기슭까지 급경사로 이어져 있다. 지평선 저 멀리 뾰족한 봉우리들을 또렷이 드러내고 있는 알피유 산…… 아무 소리도 나지 않는고요. 어디선가 이따금 어렴풋이 들려오는 피리소리, 라벤더 숲에서 지저귀는 마도요, 지나가는 노새들의 방울 소리……. 프로방스의 이 아름다운 풍경은 온통 저 찬란한 햇빛을 받을 때 비로소 생기를 발한다.

그런데 나더러 어떻게 그 소란스럽고 우중충한 파리에 미련을 가지란 말인가? 나의 풍차 방앗간에서 아주 편안히 지내고 있는데! 이곳이야말로 내가 찾던 호젓한 곳, 신문이며 마차며 안개……와는 아주 거리가 먼, 상쾌하고 따뜻한 곳! 주위에 아름다운 것들은 또 얼마나 많은지! 이곳에 머문 지 이제 겨우 일주일인데 벌써 머릿속은 온통 감명과 추억으로 터질 듯하다. 바로 어제 저녁, 언덕 기슭에 자리잡은 한 농가로 돌아오는 양떼를 목격했다. 그 광경을 이번주 파리에서 상연한 모든 연극들에 비할까. 긴말할 것 없이 직접 판단해 보시라.

프로방스 지방에서는 더위가 찾아오면 양떼를 몰고 알프스 산으로 가는 관습이 있다는 걸 먼저 말해둬야겠다. 짐승들과 사람들이 허리까지 오는 풀숲에서 노숙하면서 5, 6개월을 산에서 보낸다. 그러다 가을바람이 살랑거릴 즈음 농가로 다시 내려온 양들은 로즈메리 향기 그윽한 잿빛 언덕에서 풀을 유유히 뜯어먹는다. 바로 어제 저녁 알프스 산에 가 있던 양떼가 돌아오고 있었다. 두 짝 대문은 아침부터 활짝 열린 채 양들이 돌아오기를 기다리고 있었고, 우리 안에는 싱그러운 짚이 가득 채워져 있었다. 사람들은 시시각각으로 이렇게 말했다. "지금쯤은 에기에르에 와 있을 거야. 지금은

아마 파라두에 이르렀을걸." 이윽고 해질 무렵 고함소리가 들렸다. "저기 온다!" 멀리 저편에서 영광의 먼지를 일으키며 다가오는 양떼……. 길 전체가 양떼와 함께 걸어오는 것만 같았다. 맨 앞에서 나이든 숫양들이 뿔을 앞으로 내민 의기양양한 모습으로 전진해오고, 그 뒤로 양떼가 오고 있었다. 지쳐 있으련만 행여나 다칠세라 젖먹이들을 다리 사이에 끼고 오는 어미들, 광주리에 담은 갓난 새끼들을 싣고 흔들거리며 오는 암노새들, 그 뒤로 땅바닥에 닿을 정도로 혀를 축 늘어뜨린 채 땀을 비오듯 흘리며 따라오는 개들, 법의처

럼 발꿈치까지 내려오는 갈색 모직 외투로 감싼 두 명의 키 다리 목동들.

이 유쾌한 행렬이 우리의 눈앞을 지나쳐서 농가의 정문으로 몰려드는 순간, 소나기라도 쏟아지는 듯 요란한 발소리……. 농가 안의 풍경 또한 얼마나 감동적인지. 망사 리본 같은 도가머리를 하고 횃대 위에 올라앉은 초록빛과 금빛의 통통한 공작들, 돌아온 양들을 맨 먼저 알아보고는 환영의 트럼펫이라도 부는 듯 기막힌 소리를 내며 반가이 맞아들인다. 그 소리에 소스라치게 놀라 잠을 깬 닭장. 비둘기, 오리,

칠면조, 뿔닭들이 모두 일어나 들뜨기 시작하는 가금 우리. 오늘밤 잠은 다 잤네! 하고 말하는 닭들. 양들이 저마다 제 털 속에 알프스 산의 야생 향기, 마음을 홀려서 들뜨게 만드는 그 강렬한 공기라도 가져온 것인가.

이런 소란 속에서도 유유히 제 집으로 들어가는 양떼. 이 귀환만큼 환상적인 장면은 없다. 정든 여물통을 다시 보며 감격해하는 나이든 숫양들. 오는 중에 태어난 터라 처음 보는 농가가 마냥 신기한지 눈이 휘둥그레져서 둘레둘레 두리번거리는 아기 양들.

그 중에서도 개들의 모습은 가장 감동적이다. 농가에 들어섰는데도 양들에게서 눈을 떼지 않고 꽁무니를 쫓아다니느라 분주한, 충직한 양치기 개들. 집 지키던 개가 개집 안에서 불러대는데도, 신선한 우물물을 가득 퍼 올리며 두레박이 유혹의 소리를 보내는데도 양치기 개들은 아무것도 보려고도, 들으려고도 하지 않았다. 양떼가 한 마리도 빠짐없이 우리 안으로 전부 다 들어가고 울타리 문에 큼직한 빗장이 걸리고, 목동들이 식탁에 앉고 나서야 비로소 제 집으로 들어가는 양치기 개들. 녀석들은 한 사발의 수프를 맛나게 핥아먹으면서 농가를 지키고 있던 동무들에게 늑대가 우글거리는 으스스한 세상, 꽃잎 가장자리까지 이슬이 가득 맺힌 자줏빛 디기탈리스 꽃이 군락을 이룬 알프스 산에서 있었던 일들을 들려주기 시작한다.

코르니유 영감의 비밀

Le secret de maître Cornille

이따금 내 집에 놀러와서 포도주를 마시며 밤새도록 말동무를 해주는 프랑세 마마이라는 피리 부는 노인이 있었는데, 어느 날 저녁 나의 방앗간에 얽힌 20년 전의 일화를 들려주었다. 노인의 이야기가 하도 감동적이라서 들은 대로 전해보려 한다.

친애하는 독자들이여, 잠시 술 단지를 앞에 놓고 앉아서 피리 부는 노인이 하는 얘기를 듣고 있다고 생각하기 바란다.

우리 고장이 지금처럼 늘 이렇게 쥐 죽은 듯 적막하고 침체된 곳은 아니었지. 예전에는 방앗간 사업이 성행해서 40킬로미터 이내의 마을에 사는 사람들은 너도나도 밀을 빻으러 찾아오곤 했으니까. 마을을 빙 둘러싼 언덕 위에서는 풍차들이 돌았지. 이리 봐도 저리 봐도 미스트랄*(프랑스 남부 프로방스 지방에 불어오는 건조하고 찬 북풍. 특히 론 강의 델타 지역에 강하게 분다_역주)을 받아 솔숲 위로 빙글빙글 돌아가는 풍차 날개가 보였고, 또 밀가루 자루를 싣고 오르락내리락하는 당나귀들의 행렬이 끊이질 않았어. 그래서 언덕에서 들려오는 채찍 소리며 탁탁 자루 터는 소리며 "이랴, 워워!" 하며 당나귀 부리는 소리…… 그 소리들은 우리의 낙이었지. 일요일마다 우리는 무리를 지어 언덕으로 올라가곤 했지. 방앗간 주인들이 인심 좋게 한턱내는 사향포도주를 얻어 마시려고 말일세. 레이스 숄에 황금 십자가까지 걸고 왕비처럼 치장한 방앗간 안주인들. 난 피리를 들고 갔고, 모두들 어울려 밤늦도록 파랑돌*(피리와 탬버린에 맞춰 손에 손을 잡고 원을 만들어 경쾌하게 추는 춤으로 프로방스 지방의 전통 민속춤_역주)을 췄지. 그렇듯 풍차 방앗간들은 우리 고장에 기쁨을 주고 부를 가져다주었다는 말이네.

그러던 중 불행하게도, 파리 사람들이 타라스콩으로 가는

도로 주변에 증기 제분공장을 지을 계획을 세웠던 거야. 뭐
든지 새것은 멋지게 보이는 건지! 사람들이 제분공장으로 밀
을 보내게 되면서 가여운 풍차 방앗간들은 놀게 되었어. 그
래도 얼마 동안은 버텨보았지. 하지만 증기 제분공장을 어
떻게 당해낼 수 있었겠나. 하나 둘 손을 들게 되었고……, 결
국에는 모조리 문을 닫지 않을 수 없었지. 밀자루를 실은 당
나귀들의 발길이 끊기고, 방앗간 안주인들은 황금 십자가를
팔아야 할 지경에 이르렀지. 사향포도주도 파랑돌도 다시는

구경도 할 수 없게 되었지! 미스트랄이 불어도 꿈쩍도 하지
않는 풍차 날개…… 그러던 어느 날, 사람들은 허름한 방앗
간들을 허물어버리고 그 자리에 포도나무와 올리브나무를
심었네.

그런데 이런 와중에서도 그 제분공장 맞은편 언덕 위에는
꿋꿋이 버티면서 빙글빙글 돌아가는 풍차가 하나 있었단 말
씀이야. 코르니유 영감의 방앗간이었는데, 지금 우리가 밤
을 새고 있는 바로 이곳이라네.

육십 평생을 밀가루와 씨름하며 살아온 노인이었으니 분
해서 펄펄 뛰는 것이야 당연한 일 아니겠나. 제분공장이 들
어서는 걸 보고 코르니유 영감은 반미치광이가 되어버렸지.
일주일 동안 온 동네를 뛰어다니면서 사람들을 불러모아놓
고 놈들이 제분공장의 밀가루로 프로방스 지방을 독살하려
는 것이라고 고래고래 소리를 질러댔지. "저 공장으로 가면
안 되오. 저 날강도들은 악마가 고안해낸 증기를 사용해서
밀가루를 만들지만, 나는 신의 입김인 미스트랄과 트라몽탄
*(알프스와 피레네를 넘어 부는 산바람_역주)으로 일한단 말

이오." 이렇게 영감이 풍차에 대한 찬사를 쏟아놓았지만 그 말을 듣는 사람은 아무도 없었지.

그러자 노발대발한 영감은 그 뒤로 방앗간 안에 틀어박혀서 맹수처럼 혼자 살았지. 일찍이 부모를 여읜 뒤로 이 세상에 의지할 사람이라고는 오직 할아버지밖에 없는 열다섯 살 난 손녀딸 비베트조차 곁에 두려고 하질 않았으니까. 불쌍한 손녀딸은 여기저기 농가를 찾아다니며 농작물도 거둬들이고, 누에도 치고, 올리브도 따면서 품팔이 생활로 겨우 연명해야 했지. 그래도 손녀는 끔찍이 사랑했던 게지. 영감이 걸핏하면 뙤약볕이 내리쬐는 16킬로미터에 이르는 길을 걸어서 아이가 품을 파는 농가를 찾아가서는 눈물을 글썽이면서 몇 시간이고 손녀를 하염없이 바라보고 있었다는 걸 보면.

동네 사람들은 방앗간 영감이 욕심 많은 구두쇠라서 비베트를 내쫓은 것이라고 여겼지. 손녀딸이 이 농가에서 저 농가로 떠돌면서 온갖 수모를 당하며 비참하게 살고 있는데도 모른 척하는 영감을 곱지 않은 눈으로 볼 수밖에. 그러면서

도 마음 한편으로는 이제까지 그 이름에 부끄럽지 않게 살아
오던 코르니유 영감이 하루아침에 맨발에 구멍 뚫린 모자,
너덜너덜한 털실 허리띠를 질끈 동여맨 꼬락서니로 그야말
로 부랑자처럼 거리를 쏘다니는 처량한 신세로 전락한 것을
딱하게 여겼지. 일요일마다 미사를 드리러 오는 영감을 볼
때면 같은 늙은이들이라도 보고 있기가 민망할 지경이었으
니까. 영감도 그걸 느꼈던지 감히 임원석에 와서 앉질 못하
고 늘 성수반 옆의 구석진 자리에서 가난한 사람들 무리에
섞여 있다가 나가곤 했어.

　그런데 코르니유 영감의 생활에 뭔가 석연치 않은 구석이
있었지. 오래 전부터 밀을 가져오는 사람이라곤 없는데, 영
감의 풍차 날개는 이전과 다름없이 계속 돌아가고 있었으
니⋯⋯. 게다가 저녁이 되면 어김없이 불룩한 밀가루 자루
를 잔뜩 실은 당나귀를 몰고 가는 방앗간 영감을 길에서 만
나곤 했지.

　"안녕하세요, 영감님! 방앗간은 여전하죠?" 하고 외치는
농부들에게 영감은 쾌활하게 대답했지.

"암, 여전하고말고. 고맙게도 우리 방앗간에는 일감이 떨어지질 않으이."

그래서 그 일감이 어디서 그렇게 많이 들어오는지 물을라치면 영감은 손가락을 입술에 대고는 사뭇 진지하게 대답하는 거야. "쉿! 내가 수출 사업을 하고 있거든." 하지만 영감에게서 그 이상의 말은 끌어내질 못했지.

영감의 방앗간을 들여다보는 건 생각도 하지 말아야 했어. 손녀딸조차 들어가지 못하는 곳이었으니까……

방앗간 앞을 지나가다 보면 문은 늘 닫혀 있어도 쉼없이 돌아가는 커다란 풍차 날개하며 앞마당에서 풀을 뜯어먹는 늙은 당나귀, 창가에 앉아 볕을 쬐는 말라빠진 고양이가 표독스런 얼굴로 쳐다보곤 했지.

심상치 않은 냄새가 났기 때문에 사람들이 수군거리게 되었지. 저마다 코르니유 영감의 비밀을 나름대로 떠벌렸지만, 방앗간 안에는 밀자루보다는 돈자루가 훨씬 더 많을 거라는 소문이 무성했어.

하지만 마침내 모든 것이 드러나고 말았는데, 그 내막은 이러했네.

어느 날, 젊은이들이 춤을 추도록 피리를 불어주다가 나는 내 큰아이와 비베트가 좋아하는 사이라는 걸 알아채고 내심 기분이 좋았지. 코르뉘유라는 성을 가진 사람이 들어온다는 건 우리 집안의 영광인 데다 참새처럼 귀여운 비베트가 내 집에서 종종걸음 친다는 건 생각만 해도 즐거운 일이었으니까.

다만 한 가지, 두 아이가 어울리는 기회가 잦기 때문에 그러다 불미스런 사고라도 일어나면 어쩌나 마음이 놓이질 않았어. 그래서 얼른 조처를 취하고 싶은 마음에 방앗간을 찾아갔네. 아, 그런데 그 영감이 나를 어떻게 맞이했느냐 하면 말씀이야! 문을 열게 한다는 건 어림도 없는 일이었지. 열쇠 구멍을 통해 간신히 용건만 설명해야 했는데, 내가 말하는 동안 내내 그놈의 말라빠진 고양이가 내 머리 위에서 고약을 떨고 있었지.

영감은 내가 얘기를 끝내기도 전에 가서 피리나 불라면서

버럭 고함을 지르더니 그렇게 아들 결혼을 서두르고 싶으면
제분공장에나 가서 처녀를 찾아보라고 막말을 해대는 거였
어. 그렇게 퍼붓는 악담을 듣고 있자니 피가 거꾸로 솟는 것
같았지. 하지만 나는 그래도 꾹 참고 돌아와서 아이들에게
그 실망스런 만남을 전해주었지.

그러자 가여운 아이들은 내 말을 믿을 수 없다면서 둘이
함께 방앗간에 가서 할아버지와 얘기를 하겠다고 졸라대는
거야. 난 차마 안 된다고 할 수 없었네. 휴! 내 사랑스런 아이
들은 그 길로 달려가버렸지.

아이들이 도착했을 때 코르니유 영감은 방앗간을 막 나간
뒤였지. 문은 이중으로 꼭꼭 잠겨 있었지만, 영감이 깜빡 잊
었는지 사다리를 그냥 놔둔 걸 보고 아이들은 창문을 통해
들어가서 방앗간에 뭐가 있는지 살필 생각을 하게 되었지.

희한하게도, 절구가 놓인 이층은 텅 비어 있었지. 자루나
밀은 눈 씻고 찾아봐도 없고, 벽에도 거미줄에도 밀가루라곤
아예 묻어 있지도 않았으니! 방앗간에서 나기 마련인 그 특
유의 으깨진 밀 냄새는커녕 먼지가 뽀얗게 앉은 주축대에는

말라빠진 고양이만 늘어지게 자고 있었다는 거야.

아래층도 황량하기 그지없었지. 형편없는 침대하며 누더기 몇 장, 계단에 뒹구는 빵 조각, 그리고 한구석에 놓인 구멍 뚫린 서너 개의 자루, 거기서 벽토 부스러기와 백토가 흘러나오고 있었지.

그게 코르니유 영감의 비밀이었다니! 방앗간의 체면을 살리기 위해서 밀을 빻고 있는 것으로 믿게 하려고 저녁마다 실어 나르던 것이 석회가루였다니…… 가여운 방앗간! 가여운 코르니유 영감! 제분공장들이 이미 오래 전에 마지막 고객마저 빼앗아버린 뒤로도 풍차 날개는 빙글빙글 돌고 있었지만 공연히 빈 방아만 돌고 있었던 것이지.

엉엉 울면서 돌아온 아이들이 보고 온 대로 얘기해주더군. 그 얘기를 들으면서 가슴이 찢어질 듯이 아팠어. 나는 단숨에 이웃집들로 달려가서 그 사실을 알렸고, 우리는 당장 코르니유 영감의 방앗간으로 집에 있는 밀이란 밀은 전부 다 가져가기로 결론을 내렸네. 그 말이 떨어지자마자 즉각 실행에 옮겼지. 마을 사람들이 모두 집을 나섰고, 우리는 진짜

밀을 실은 당나귀들을 줄줄이 끌고 언덕 위의 방앗간에 도착했다네.

방앗간은 활짝 열려 있었지. 문 앞에 놓인 석회자루 위에 털썩 주저앉은 코르니유 영감은 두 손으로 머리를 싸맨 채 울고 있더군. 방앗간으로 돌아온 영감은 자기가 집을 비운 사이에 누군가가 들어왔고, 그 슬픈 비밀을 들켰다는 걸 알아차렸던 게야.

"아이고, 처량한 내 신세! 이젠 죽는 수밖에……. 방앗간의 체면이 땅에 떨어졌으니."

그러고는 마치 사람에게 말하듯 방앗간을 온갖 이름으로
부르면서 비통하게 울부짖었지.

그 순간 당나귀들이 마당에 이르렀고, 방앗간 경기가 한창
좋았던 시절처럼 우리는 모두 우렁차게 외쳤다네.

"이보오! 방앗간 주인! 이보오! 코르니유 영감님!"

그리하여 문 앞에 밀자루들이 쌓이고, 땅바닥 온 사방으로
흩어지는 갈색 밀……

그제야 눈이 휘둥그레진 코르니유 영감이 그 쭈글쭈글한
손에 밀 한줌을 집어들더니 웃다 울다 하면서 말했지.

"밀이라니! 이게 어찌된 일인가! 대체 얼마 만에 보는 밀인가! 어디 좀 보자."

그러고는 우리를 돌아보면서 덧붙였지.

"자네들이 나한테 돌아올 줄 알고 있었네. 저 공장놈들은 모두 날강도들이야."

마을로 내려가서 헹가래를 치려고 하자 영감은 이렇게 말했었지.

"아니, 아니, 이보게들, 방아에게 먹을 것부터 줘야겠네. 생각해보게들! 아무것도 입에 넣어보지 못한 지가 얼마나 오래되었는지!"

우리 모두 눈물을 글썽이면서 자루의 밀을 쏟아내고 방아를 살피느라 이리 뛰고 저리 뛰는 가여운 노인을 바라보는 사이에 알갱이들이 으스러지면서 고운 밀가루가 천장으로 날아올랐지.

그날부터는 방앗간 영감에게 일감이 떨어진 적이 없었으니 우리는 옳은 일을 한 것이지.

그러던 어느 날 아침 코르니유 영감은 세상을 떠났고, 우리

의 마지막 풍차 날개도 영원히 멈추게 되었지. 코르니유 영
감이 죽자 그 뒤를 이을 사람이 아무도 없었네. 어쩌겠는가,
세상의 모든 것에는 끝이란 게 있기 마련인 것을. 론 강의 나
룻배 시대, 고등법원의 시대, 꽃무늬 재킷의 시대가 한물가
버린 것처럼 풍차 방앗간의 시대도 한물갔다는 걸 인정해야
하는 것을.

스갱 씨의 염소

La chèvre de monsieur Seguin

파리의 서정시인
피에르 그랭고아르 씨에게.

그랬고아르, 자네는 정말이지 예나 지금이나 그대로군. 대체 왜 그러나? 파리의 모 신문사에서 제안한 기자 자리를 딱 잘라 거절하다니……. 하지만 자네의 몰골을 좀 보게, 이 불쌍한 친구야! 구멍난 저고리에 헐어빠진 짧은 바지하며 굶주림을 호소하는 야윈 얼굴. 시를 쓰는 데 쏟은 열정이 바로 자네를 그 지경에 이르게 했건만! 10년이란 세월을 아폴론 나리의 시종으로 충직하게 봉사한 대가가 고작 그 꼴인데……. 그래도 부끄럽지 않은가?

그러니 기자 자리를 받아들여, 이 못난 친구야! 기자가 되라고! 그러면 장미무늬 은화를 많이 벌게 될 것이고, 그 유명한 브레방 레스토랑에도 자주 갈 수 있고, 또 깃털장식 모자를 쓰고 의젓하게 연극도 보러 다닐 수 있지 않은가.

그래도 싫은가? 끝까지 그렇게 멋대로 살겠다고 우긴다면…… 어쩔 수 없는 일이겠지. 그럼 이제 스갱 씨의 염소 이야기를 들어보려나? 융통성이라곤 없이 그저 제멋으로만 살겠다고 고집하면 얻는 게 뭔지 알게 될 터이니.

스갱 씨는 염소들을 키우면서 보람이란 걸 느껴본 적이 없었다.

늘 똑같은 방법으로 염소들을 잃었기 때문이다. 어느 날 아침 돌연 밧줄을 끊고 산으로 달아난 염소들이 늑대 밥이 되어버렸던 것이다. 주인의 보살핌도, 늑대에 대한 두려움도 도망치려는 염소들을 막지 못했다. 어떻게 해서든 울타리 밖에서 훨훨 자유롭게 뛰놀며 살고 싶어하는 독립심이 강한 염소들이었던 모양이다.

그런 염소들의 마음을 전혀 헤아리지 못하는 착한 스갱 씨는 허망했다.

"이젠 끝이야. 염소들이 내 집을 이렇게 지겨워하니 앞으로는 한 마리도 키우지 않겠어."

그러면서도 스갱 씨는 미련을 버리지 못했다. 여섯 마리나 되는 염소를 똑같은 식으로 잃어버리고 나서도 또 한 마리를 사왔으니 말이다. 다만 이번에는 집에 오래오래 정을 붙이고 살게 하려고 아주 어린 염소를 데려다가 정성을 들여 키웠다.

스갱 씨의 염소는 얼마나 귀여웠던지! 그 온순한 눈하며 앙증맞은 수염, 반들반들한 검은 발굽, 얼룩무늬 뿔, 흰색의 길다란 털외투, 정말 뭐라고 형언할 수 없을 정도로 귀여웠다. 그랭고아르, 뭐랄까, 에스메랄다*(빅토르 위고의 『노틀담의 꼽추』에 등장하는 여주인공_역주)의 어린 염소 뺨치게 깜찍하다고 하면 상상이 될까. 젖을 짤 때는 얌전히 있고, 젖 사발에 발을 집어넣는 일도 없이 순하고 귀여운 염소. 그러니 얼마나 사랑스러웠겠나…….

스갱 씨의 집 뒤꼍에는 산사나무들로 울타리를 친 풀밭이 있었다. 스갱 씨는 새 식구가 된 염소를 그 안에 넣고는 제일 좋은 곳의 말뚝에 묶어놓되 줄을 아주 길게 해서 자유롭게 돌아다니는 데 지장이 없도록 신경을 써주었다. 그러고는 염소가 편안히 지내는지 자주 들여다보곤 했다. 아주 행복해하는 모습으로 풀을 마음껏 뜯어먹는 염소를 보자 스갱 씨는 기쁘기 그지없었다.

"드디어 내 집을 지겨워하지 않는 염소가 생긴 거야!"

하지만 스갱 씨의 생각은 여지없이 빗나가고 말았다. 염소는 싫증을 내고 있었다.

어느 날, 염소는 산을 바라다보면서 속으로 말했다.

'저 산에 가서 살면 얼마나 좋을까! 살을 파고드는 이 몹쓸 줄 없이 히스가 우거진 초원에서 뛰놀면 얼마나 즐거울까! 울타리 안에서 풀을 뜯어먹는 건 당나귀나 소에게나 어울리는 생활이라고! 염소들에게는 넓디넓은 초원이 제격이야.'

그렇게 생각하고 나자 울타리 안의 풀은 보기만 해도 입맛이 뚝 떨어지면서 지겹기만 했다. 염소는 점점 살이 빠졌고, 젖도 잘 나오지 않았다. 온종일 목이 졸릴 정도로 줄을 당기면서 산 쪽으로 머리를 돌린 채 콧구멍을 벌름거리며 "매에! 매에!" 하고 애처롭게 우는 모습은 그야말로 보기에

도 딱했다.

스갱 씨는 염소에게 무슨 일인가 생겼다는 걸 눈치 채긴 했지만, 그게 뭔지 정확하게 모르고 있었다. 어느 날 아침, 주인이 젖을 짜내고 나자 염소가 돌아보면서 말했다.

"주인님, 주인님의 집은 따분해서 못 살겠어요. 그러니까 저를 산으로 가게 해주세요."

"아! 이런 맙소사! 너마저!" 기절초풍한 스갱 씨가 외쳤다. 그러고는 젖 사발을 떨어뜨리면서 염소 옆의 풀밭에 털썩 주저앉았다.

"뭐라고? 블랑케트, 나를 떠나고 싶다고 했니?"

블랑케트가 대답했다.

"네, 주인님."

"풀이 부족하니?"

"오! 그건 아니에요, 주인님."

"줄이 너무 짧아서 그래? 줄을 더 길게 해주랴?"

"그럴 필요 없어요, 주인님."

"그럼 대체 부족한 게 뭐야? 뭘 어떻게 해주면 되겠니?"

"산으로 가고 싶어요, 주인님."

"이 불쌍한 녀석아, 산에 늑대가 있다는 걸 네가 몰라서 그래. 늑대가 나타나면 어쩌려고?"

"뿔로 받아버리면 되죠."

"늑대는 네 뿔에 코웃음을 칠 게야. 너와는 비교도 안 될 정도로 뿔이 아주 큰 암염소들도 맥없이 잡아먹혔단 말이다. 작년에 여기 있던 나이 먹은 르노드 알지? 숫염소 못지않게 힘도 세고 사납던 염소 말이다. 그런 염소도 밤새도록 늑대와 싸우다가…… 아침에는 결국 잡아먹히고 말았어."

"저런! 불쌍한 르노드! 하지만 상관없어요, 주인님. 산으로 가게 해주세요."

"이런 맙소사! 도대체 내 염소들은 하나같이 왜 이러는 걸까? 늑대가 내 염소를 또 한 마리 잡아먹게 생겼으니……. 안 돼, 너마저 죽게 놔둘 순 없어. 줄을 끊고 달아날지 모르니까 너를 외양간에 가둬야겠다. 앞으로는 쭉 거기서 지내야 해."

그렇게 으름장을 놓고 나서 스갱 씨는 어두컴컴한 외양간에 염소를 가두고 문을 꼭꼭 걸어 잠갔다. 그런데 스갱 씨는 불행히도 창문을 깜박 잊고 있었다. 염소는 주인이 돌아서기가 무섭게 창문으로 줄행랑을 쳤다.

웃고 있나, 그랭고아르? 하기야 그렇겠지! 자네는 그 착한 스갱 씨에게 대항하는 염소 편일 테니까. 하지만 자네가 끝까지 다 듣고 나서도 웃을 수 있을지 어디 두고 보세.

산에 이르자, 흰 염소는 황홀경에 잠겼다. 오랜 세월을 사는 동안 한번도 그토록 예쁜 염소를 본 적이 없었던 터라 전나무들은 염소를 여왕처럼 맞아주었다. 가지로 쓰다듬어주

기 위해 허리가 휘어질 정도로 몸을 숙이는 밤나무들. 염소
가 지나는 길마다 꽃잎을 활짝 펴면서 짙은 향기를 뿜어주는
금작화들. 그야말로 산 전체가 염소를 환영해주고 있었다.

그랭고아르, 우리의 염소가 얼마나 행복했을지 짐작이 가
겠지! 목을 죄는 줄이 있나, 말뚝이 있나…… 멋대로 뛰어다
니며 실컷 풀을 뜯어먹어도 무엇 하나 거치적거리는 게 없었
으니…… 제 키보다 더 크고 무성하게 자란 풀, 또 풀의 종
류는 얼마나 많았을지! 가느다란 것에서부터 깔쭉깔쭉한 것
들에 이르기까지 최고로 맛난 풀들. 울타리 안 목장의 풀하
고는 질적으로 달랐겠지. 게다가 그 많은 꽃들! 파란색의 탐
스런 초롱꽃, 긴 꽃받침을 단 자주색 디기탈리스, 홀리는 향
기를 토해내는 수액이 넘쳐흐르는 야생화 숲!

꽃향기에 반쯤 취한 하얀 염소는 그 꽃숲에 벌렁 누워 두
다리를 치켜든 채 뒹굴어보기도 하고 비탈을 따라 낙엽과 밤
알과 뒤범벅이 되어 데굴데굴 굴러보기도 했다. 그러다 불
현듯 벌떡 일어난 염소는 회양목 숲을 지나 돌진했다. 산봉
우리로 뛰어오르는가 싶더니 어느새 협곡 쪽으로 달려가고,

위아래 할 것 없이 여기서도 번쩍 저기서도 번쩍, 마치 그 산에 스갱 씨의 염소가 열 마리는 되는 것 같았다.

블랑케트는 도무지 겁나는 게 없어 보였다.

염소는 큰 급류를 훌쩍 뛰어넘다가 물보라를 일으키면서 젖은 먼지를 날렸다. 그래서 물을 홀딱 뒤집어쓴 염소는 너럭바위 위에 벌렁 드러누워 햇볕에 몸을 말렸다. 그러다 금련화 한 송이를 입에 물고 고원 가장자리로 갔다가 저 아래 평원에서 스갱 씨의 집과 뒤꼍의 울타리 친 풀밭을 발견하고는 눈물이 날 정도로 웃어댔다.

"얘개, 저렇게 조그맸어? 그 동안 저 안에서 내가 어떻게 견뎌냈을까?"

가여운 녀석! 그렇게 높은 데에 올라가 있으니까 눈에 뵈는 게 없었던 걸까, 자기도 세상만큼이나 크게 생각되었던 모양이다…….

어쨌거나 스갱 씨의 염소에게는 신나는 날이었다. 정오가 될 무렵 이리저리 뛰어다니던 염소는 머루를 와작와작 씹어 먹고 있는 한 떼의 영양과 마주쳤다. 하얀 드레스 차림의 우

리 달리기 선수는 감동을 주기에 충분했다. 영양들은 환심을 사려는 듯 머루가 주렁주렁 매달린 제일 좋은 자리까지 염소에게 내주었다. 그랭고아르, 우리끼리니까 하는 얘긴데, 검은 털의 수컷 영양이 운 좋게도 블랑케트의 마음에 들었던 모양이야. 눈이 맞은 두 녀석이 두어 시간이나 숲 속을 쏘다녔던 걸 보면. 두 녀석이 무슨 말을 나누었는지 알고 싶거든 물거품 속에 숨어서 졸졸 흐르는 시냇물에게나 물어보면 되겠지.

느닷없이 바람이 차가워졌다. 해가 보랏빛으로 산을 물들이며 고개를 넘어가고 있었다.

"벌써!" 하고 말하던 염소는 소스라치게 놀랐다.

아래쪽 들판이 온통 안개에 잠겨 있었던 것이다. 스갱 씨의 울타리도 안개 속으로 사라졌고, 작은 집은 연기가 피어오르는 지붕밖에 보이지 않았다. 염소는 돌아가는 양떼의 방울 소리가 들리자 마음이 울적해졌다. 큰매 한 마리가 날갯짓을 하면서 염소를 스쳐지나갔다. 몸서리를 치는 순간

산 속에서 울부짖는 소리가 났다.

"우우! 우우!"

염소는 늑대 울음소리라는 걸 직감했다. 하루종일 신나게
노느라 까맣게 잊고 있었으니…… 바로 그 순간 멀리 골짜
기에서 트럼펫이 울렸다. 인정 많은 스갱 씨가 마지막으로
마음을 써주는 눈물겨운 노력이었다.

"우우! 우우!" 늑대가 울부짖었다.

"돌아와! 돌아와!" 트럼펫이 외치고 있었다.

블랑케트는 돌아가고 싶은 마음 간절했지만, 말뚝이며 줄,
울타리를 떠올리면서 이제 다시는 그런 삶을 살 수 없으니
그래도 그냥 이대로 사는 게 더 낫다고 생각했다.

트럼펫은 더 이상 울리지 않고 있었다…….

뒤에서 바스락거리는 소리가 들렸다. 뒤돌아보던 염소는
어둠 속에서 쫑긋 세운 짧은 귀와 이글거리는 두 눈을 보았
다. 정말 늑대였다.

커다란 늑대는 웅크리고 앉은 채로 꽤 오랫동안 꼼짝도 않
고 하얀 염소를 살피면서 군침을 삼키고 있었다. 조금 있으

면 잡아먹을 것이기 때문에 늑대는 여유를 부리고 있었던 것이다. 염소가 돌아보자 늑대가 기분 나쁜 웃음을 흘렸다.

"하! 하! 하! 스갱 씨의 귀여운 염소." 하면서 늑대는 그 커다란 빨간 혀로 부싯깃처럼 축 처진 입술을 핥았다.

블랑케트는 어쩔 줄을 몰랐다. 한순간, 밤새도록 싸우다 아침에 잡아먹혔다는 르노드의 이야기를 떠올리면서 차라리 당장 먹히는 것이 낫겠다고 생각했다. 하지만 이내 생각을 고쳐먹은 염소는 스갱 씨의 용감한 염소답게 머리를 낮춰 뿔을 세우는 것으로 방어 자세를 취했다. 늑대와 싸워 이기겠다는 희망에서가 아니라 자기도 르노드만큼 오랫동안 버텨낼 수 있을지 알고 싶어서였다. 늑대를 죽였다는 염소 얘기 들어보지 못했으니.

그 순간 늑대가 다가오자, 염소는 뿔로 공격을 개시했다.

아! 얼마나 용감한 모습인가! 감히 늑대에게 맞서서 그렇게 용감하게 싸우다니! 염소는 늑대가 뒤로 물러서서 숨을 돌려야 할 정도로 끈질기게 몰아붙였다. 그랭고아르, 이건 거짓말이 아니라네. 휴전을 하는 잠깐 사이에도 염소는 재

빨리 풀을 뜯어먹으면서 다시 싸움에 임했다. 그 싸움은 밤새도록 계속되었다. 스갱 씨의 염소는 이따금 맑은 하늘에서 춤추는 별들을 바라보면서 속으로 말했다.

'아! 새벽까지 버틸 수만 있다면…….'

하나 둘 별들이 스러지고 있었다. 뿔로 들이받는 블랑케트와 이빨로 물어뜯는 늑대……. 지평선에 한 줄기의 파리한 빛이 나타나면서 어느 농가에서 목쉰 닭 울음소리가 올라왔다.

"드디어!" 죽음을 맞기 위해 동이 트기만 기다리던 가여운 염소가 말했다. 그러고는 그 아름다운 하얀 모피를 온통 피로 물들인 채 땅바닥에 널브러졌다.

그러자 늑대가 염소에게 달려들었고, 그러곤 먹어치웠다.

잘 지내게, 그랭고아르!

이 이야기는 내가 지어낸 게 아니라네. 프로방스에 오면 내가 아니라도 여기 사람들이 밤새도록 늑대와 싸우다 아침이 되자 늑대에게 잡아먹힌 스갱 씨의 염소 이야기를 해줄 걸세.

아침이 되자 결국 늑대에게 잡아먹혔다는 염소 이야기,

무슨 뜻인지 이해하리라 믿네, 그랭고아르.

Les étoiles 별

프로방스 양치기의 이야기

뤼브롱 산의 방목지에서 나의 개 라브리를 데리고 양들을 지키고 있을 때, 나는 몇 주일 동안 사람이라곤 그림자도 구경하지 못한 채 지내고 있었다. 약초를 캐러 다니다 지나가는 뤼르 산의 은자나 피에몬테 지방 숯쟁이의 시커먼 얼굴을 보는 일이 이따금 있기는 했다. 하지만 그들은 오랫동안 혼자 살아온 터라 말하는 습관을 잃어버린 데다 산아래 마을이나 도시에서 도는 소문 따위에는 아예 관심조차 없는 순박한 사람들이었다. 그래서 보름마다 식량을 내게 가져다주기 위해 올라오는 우리 농가의 노새 방울 소리가 들리고, 언덕 위로 막둥이의 부수수한 머리나 노라드 아주머니의 붉은색 머리

쓰개가 보일라치면 뛸 듯이 반가웠다. 나는 누가 영세를 받았느냐, 누가 결혼을 하게 되었느냐 하면서 아랫마을 소식을 묻고 또 물었지만 실은 주인집 딸, 이 고장에서 가장 아름다운 스테파네트 아가씨가 어떻게 지내는지가 제일 궁금했다. 하지만 특별한 관심이 있다는 걸 들키지 않으려고 나는, 아가씨가 축제나 파티에는 자주 가는지, 멋쟁이 남자들이 여전히 찾아오는지 넌지시 물었다. 산에서 양이나 치는 목동이 그런 것들을 알아서 뭐하냐고 묻는다면 나는 스무 살의 청년이고, 스테파네트 아가씨는 내가 이제껏 본 사람들 중에서 가장 아름다운 여자였다고 대답해주리라.

그런데 어느 일요일, 기다리는 보름 치의 식량이 무슨 일인지 아주 늦어지고 있었다. 오전에는, 미사가 늦게 끝났기 때문이려니 생각했다. 그러다 정오 무렵에 강한 비바람이 몰아쳤기 때문에 길이 험해져서 나귀가 길을 떠나지 못하는 것이려니 생각했다. 이윽고 3시경 언제 그랬냐는 듯 하늘이 말끔히 개면서 물을 머금은 산이 햇빛에 반짝일 때 나뭇잎에서 뚝뚝 떨어지는 물방울 소리와 물이 분 계곡에서 콸콸 넘치는 물소리 속에 부활절에 울리는 낭랑한 종소리만큼이나 경쾌하고 활기찬 노새 방울 소리가 들렸다. 하지만 노새를 몰고 온 사람은 막둥이도 노라드 아주머니도 아니었다. 그렇다면 누구였을까…… 바로 스테파네트 아가씨였다! 몸소 노새를 몰고 온 아가씨는 버들바구니들 사이에 꼿꼿이 앉아 산바람과 비가 그친 뒤의 서늘해진 공기를 쐬서인지 얼굴이 붉게 물들어 있었다.

막둥이는 병이 났고, 노라드 아주머니는 휴가를 받아 자식들 집에 갔다고 말하면서 노새에서 내린 아름다운 아가씨는 오다가 길을 잃는 바람에 늦게 도착하게 되었다고 덧붙였다. 하지만 꽃무늬 리본 스카프에 레이스가 달린 화려한 치마를 입은 아가씨는 어쩌나 곱게 단장을 했는지 숲 속에서 길을 찾아 헤맸다기보다는 차라리 무도회에 갔다가 늦어진 것 같았다. 어찌나 어여쁜지! 아무리 보고 또 봐도 결코 싫증이 나지 않는 아가씨. 사실 나는 그렇게 가까이에서 아가씨를 본 적이 없었다. 양떼가 평원에 내려와 있는 겨울철에 저녁을 먹으러 농가에 돌아올 때면 늘 예쁘게 차려입고서 머슴

들에게는 거의 말을 건네지도 않고 쌀쌀맞게 지나가는 아가씨를 이따금 보긴 했다. 그런데 지금 그런 아가씨가 내 앞에 와 있는 것이다. 오직 나만을 위해서. 그러니 내가 제정신일 수 있겠는가?

스테파네트 아가씨는 바구니에서 식량을 꺼내놓고 나서 호기심이 가득한 눈으로 주변을 두리번거리기 시작했다. 쉽게 찢어질 것처럼 하늘하늘한 레이스 치맛자락을 살짝 걷어 들고 울타리 안으로 들어선 아가씨는 내가 잠자는 곳을 보고 싶어했다. 짚자리와 양가죽 이불, 벽에 걸린 큼직한 외투, 지팡이, 돌멩이 총, 하나하나가 다 신기한지 아가씨는 마냥 즐거워했다.

"여기서 살아요? 이렇게 늘 혼자 있으면 얼마나 쓸쓸할까! 뭘 하고 지내요? 무슨 생각을 하면서 지내죠?"

나는 '아가씨를 생각하면서 지내죠'라고 대답하고 싶었다. 거짓말이 아니건만 어찌나 당황했던지 나는 대답할 말을 찾지 못하고 있었다. 그걸 눈치챈 아가씨가 내가 쩔쩔매는 것이 재미있는지 짓궂게도 나를 점점 더 놀리고 있다는

60

생각이 들었다.

　"마음씨 착한 여자친구가 가끔 만나러 오겠죠? 아마 틀림
없이 금빛 양이거나 산봉우리만 뛰어다니는 에스테렐 선녀
일 거야."

　그렇게 말하면서 머리를 약간 젖힌 채 머금는 귀여운 미소
하며 느닷없이 나타났다가는 서둘러 떠나려고 하는 아가씨
야말로 에스테렐 선녀 같았다.

　"그럼 안녕."

　"조심해서 가세요, 아가씨."

그러고는 빈 바구니를 가지고 아가씨는 떠났다.

아가씨가 비탈진 길로 사라졌을 때, 노새 발굽에 굴러 떨
어지는 돌멩이 하나하나가 내 가슴으로 떨어지는 것만 같았
다. 나는 오래오래 그 소리에 귀를 기울였고, 날이 저물 때까
지 몽롱한 기분으로 행여나 꿈을 깰까 두려워서 감히 꼼짝도
하지 못하고 있었다. 해질녘 골짜기가 파랗게 물들기 시작
하고 양떼가 울타리 안으로 들어가기 위해 매에 매에 울면서
모여들기 시작할 때, 내리막길에서 나를 부르는 소리가 들리
더니 아가씨의 모습이 보였다. 조금 전 보았던 생글거리는
얼굴이 아니라 물에 흠뻑 젖어 부들부들 떨면서 겁에 질린
얼굴이었다. 언덕 아래에서 빗물에 불어난 소르게 강을 무
리하게 건너다 하마터면 떠내려갈 뻔했던 모양이었다. 어둠
이 내린 시간에 농가로 돌아간다는 건 상상도 못할 일이었
다. 아가씨 혼자서는 절대로 찾지 못할 것이 뻔한데 지름길
로 가게 할 수도 없고, 또 나는 양떼를 두고 떠날 수가 없으
니 난처하기 짝이 없었다. 그렇다고 산에서 밤을 보내자니
집에서 걱정할 생각에 아가씨는 안절부절못하고 있었다. 나

는 아가씨를 안심시키려고 진땀을 뺐다.

"7월은 밤이 짧아요, 아가씨. 그러니 힘들겠지만 조금만 참으세요."

나는 아가씨의 발을 녹여주고, 소르게 강물에 홀딱 젖은 옷을 말려주려고 서둘러서 불을 지폈다. 그러고는 아가씨 앞에 양젖과 치즈를 가져다 놓았다. 하지만 몸을 녹일 생각도 먹을 생각도 하지 않고 눈물만 글썽이고 있는 아가씨를 보고 있자니 나도 울고 싶었다.

그러고 있는 사이에 날은 어두워졌다. 해가 넘어가는 쪽에만 먼지처럼 뿌연 해, 안개 같은 햇빛만 보일 뿐 산봉우리는 깜깜했다. 나는 아가씨를 움막 안에 들어가서 쉬게 했다. 새 짚자리 위에 새 털가죽을 깔아놓고 잘 자라는 인사를 하고 나는 문밖에 나와 앉았다. 가슴속에서 타오르는 사랑의 불길에도 불구하고, 내가 나쁜 생각은 털끝만큼도 하지 않았다는 걸 하느님은 알고 계신다. 움막 한구석에서 잠자는 아가씨를 신기한 듯 쳐다보는 양떼 바로 옆에서 주인집 딸—다른 어떤 양보다도 더 하얗고 더 소중한 양 같은—이 내 보호를

받으며 잠들어 있다는 것이 가슴 뿌듯하다는 생각밖엔 없었
다. 하늘이 그토록 깊어 보이고 별이 그토록 반짝여 보인 적
이 없었다. 갑자기 움막의 살문이 열리면서 아름다운 스테
파네트 아가씨가 나타났다. 아가씨는 잠을 이룰 수 없었던
것이다. 양들이 뒤척이면서 바스락거리는 소리를 내는가 하
면 꿈을 꾸는지 매에 매에 울기도 했다. 아가씨는 불가에 있
고 싶어했다. 나는 얼른 아가씨의 어깨에 내 양가죽을 걸쳐
주고 화력을 세게 했다. 우리는 말없이 나란히 앉아 있었다.
한데에서 밤을 보낸 적이 있는 사람이라면 우리가 잠자는 시
간, 그 적막한 고요 속에서 신비로운 세계가 깨어난다는 걸
알 것이다. 그때는 샘물이 한층 맑은 소리로 노래하며, 못에
는 작은 불꽃들이 반짝인다. 산의 온갖 정령들이 자유롭게
오가고, 어디에선가 바스락거리는 소리, 들릴락말락 희미한
소리가 들려온다. 마치 나뭇가지가 자라는 소리, 풀이 자라

는 소리가 들리는 것만 같다. 낮은 생물이 활동하는 시간이고, 밤은 무생물이 활동하는 시간이다. 경험이 없는 사람에게 밤의 세계는 무섭기만 하다. 그래서 아가씨는 부들부들 떨면서 조그만 소리만 나도 나에게 바싹 다가앉았다. 아래쪽에서 반짝이던 못에서 애절한 울음소리가 물결치듯 우리를 향해 올라왔다. 바로 그 순간 별똥별 하나가 우리 머리 위를 지나 소리가 나는 쪽으로 흘러갔다. 마치 방금 들린 울음소리에 이끌리는 듯이.

"저게 뭐죠?" 스테파네트 아가씨가 나직한 소리로 물었다.

"천국으로 들어가는 어떤 사람의 혼이랍니다, 아가씨." 그렇게 대답하면서 나는 성호를 그었다.

아가씨도 성호를 긋고 나서 명상에 잠긴 얼굴로 하늘을 쳐다보고 있다가 말했다.

"목동들이 요술쟁이라는 게 정말인가요?"

"그건 아니에요, 아가씨. 하지만 별들에 더 가까이 살고 있으니 평지에 사는 사람들보다는 우리 목동들이 하늘에서 일어나는 일을 좀더 알고 있을 뿐이죠."

양가죽으로 몸을 감싸고 한 손으로 머리를 받친 채 여전히 하늘을 쳐다보고 있는 아가씨의 모습은 흡사 하늘에서 내려온 어여쁜 목동 같았다.

"어쩌면 저렇게 별이 많을까! 아! 아름다워! 저렇게 많은 별은 처음 봤어요. 저 별들의 이름을 알아요?"

"그럼요, 아가씨. 자, 보세요. 우리 머리 바로 위에 있는 저별은 은하인데 '성 야곱의 길'이라고도 부르죠. 프랑스에서 에스파냐까지 쭉 뻗어 있는 별무리지요. 용맹한 샤를마뉴 대제가 사라센 사람들과 싸울 때 길을 알려주기 위해 갈리시아의 성 야곱이 흔적을 남겨놓았다고 해서 붙여진 이름이지요. 저기 멀리 번쩍번쩍한 바퀴를 네 개나 단 저 별은 큰곰자리라는 별자리인데 '영혼의 수레'라고도 부른답니다. 앞에 있는 세 개의 별은 세 마리의 짐승이고, 세 번째 별 바로 옆의 작은 별은 마부예요. 그 주위에 비오듯 쏟아지는 별들이 보이죠? 저 별들은 하느님이 하늘나라에서 쫓아내려고 하는 영혼들이죠. 조금 더 아래쪽에 있는 별이 바로 오리온자리 인데 '쇠스랑' 또는 '삼왕성' 이라고도 부르지요. 우리 목동들에게 시계 역할을 해주는 별자리랍니다. 저 별들을 보면서 나는 지금 자정이 지났다는 걸 알 수 있어요. 조금 더 아래 남쪽에서 반짝이는 별은 시리우스, 즉 별들의 횃불 '장 드 밀랑' 이라고도 부르지요. 이 별에 대해서는 목동들 사이에 이런 얘기가 전해 내려온답니다. 어느 날 밤, '장 드 밀랑' 은 '삼왕성' 과 칠성, 즉 '닭장' 과 함께 친구별의 결혼식에 초대 되었지요. 제일 먼저 출발한 '닭장' 이 윗길을 차지했지요. 저 위를 보세요. '삼왕성' 은 아랫길을 가로질러서 '닭장' 을 따라잡았지요. 하지만 게으름뱅이 '장 드 밀랑' 은 늦잠을 자는 바람에 꼴찌가 되자 그만 화가 나서 그 둘을 멈춰 세우기 위해 지팡이를 던졌지요. 그래서 '삼왕성' 을 '장 드 밀랑의 지팡이' 라고도 부른답니다. 하지만 모든 별들 중에서 가장 아름다운 별은 뭐니뭐니 해도 우리가 양떼를 몰고 나오는 새벽에, 그리고 돌아오는 저녁에도 길을 밝혀주는 금성, 즉 '목

동의 별'이지요. 우리는 '목동의 별'을 '마젤론'이라고도 부른답니다. 아름다운 마젤론은 토성, 즉 '프로방스의 돌'을 쫓아다니다가 7년마다 한 번씩 결혼을 하거든요."

"어머, 별들도 결혼을 해요?"

"그럼요, 아가씨."

별들의 결혼에 대해 열심히 설명하고 있을 때, 나는 어깨에 뭔가가 사뿐히 기대어지는 것을 느꼈다. 그건 리본과 레이스와 구불구불한 머리칼과 함께 내게 기대어 잠든 아가씨의 머리였다. 아가씨는 하늘의 별들이 점점 빛을 잃다가 솟아오르는 해에 완전히 자취를 감추는 순간까지 꼼짝도 않고 잠들어 있었다. 가슴이 약간 설레었지만 나는 오직 아름다운 생각만 하게 만드는 맑은 밤의 성스런 보호를 받아 잠자는 아가씨를 지켜보고 있었다. 주위에서는 별들이 양떼처럼 온순하게 조용한 행진을 하고 있었다. 나는 수많은 별들 중에서 가장 곱고 가장 반짝이는 별 하나가 길을 잃고 헤매던 중 내 어깨에 내려앉아 쉬다가 그만 잠이 든 거라는 상상에 빠져들었다.

교황의 노새

La mule du pape

나는 프로방스 사람들이 우스갯소리처럼 곁들이는 재미난 금언이나 격언, 속담 중에서 이보다 더 생동감이 넘치고 기상천외한 것을 알지 못한다. 나의 풍차 방앗간에서 60킬로미터 이내에 살고 있는 마을 사람들이 앙심을 품고 복수의 칼을 가는 사람에 대해 말할 때 어김없이 내뱉는 말이 있다. "저 사람! 조심들 하라고! 7년 동안이나 뒷발차기를 벼르고 별렀던 교황의 노새 같은 사람이니까!"

이 속설이 어디서 유래하는 것인지, 교황의 노새는 뭐며, 또 7년 동안 벼르고 별렀다는 뒷발차기라는 건 또 무슨 뜻인지 알아내려고 나는 상당히 오랫동안 사방팔방으로 뛰어다니며 수소문을 했다. 하지만 그 누구도, 심지어는 프로방스 지방에 내려오는 전설적인 얘기라면 모르는 게 없는 피리 연주자 프랑세 마마이조차 설명해주지 못했다. 프랑세도 나와 마찬가지로 아비뇽에서 일어났던 옛날 일과 관련되어 있을 거라고 막연히 짐작만 하고 있을 뿐, 이 속설에 관해서는 별다른 얘기를 들어본 적이 없었다.

"매미회*(프로방스 예술가들의 모임을 일컫는다_역주) 회원들의 도서관에나 가야 자료를 찾을 수 있을 게야." 피리 부는 노인이 웃으면서 말했다.

좋은 생각인 것 같기도 하고, 또 매미회 회원들의 도서관이라면 엎어지면 코 닿을 데에 있기 때문에 나는 일주일을 거기서 틀어박혀 지냈다.

시인들에게는 밤이고 낮이고 개방되어 있고, 심벌즈로 음악을 연주해주는 직원들까지 있을 정도로 기막히게 시설이 좋은 훌륭한 도서관이었다. 나는 거기서 즐거운 나날을 보냈고, 그리고 일주일을 뒤지고 뒤진 끝에 기어이 내가 찾던 것, 다시 말해서 노새와 7년 동안 벼르고 벼른 뒷발차기에 관한 일화를 알아냈다. 좀 싱겁기는 해도 통쾌한 이야기인지라, 마른 라벤더 향기에 거미줄까지 쳐 있어서 세월을 느끼게 하는 누런 원고에서 어제 아침에 읽은 그대로 들려주고자 한다.

교황이 군림하던 시절에 아비뇽을 와보지 않은 사람은 상상도 하지 못하는 풍광. 축제가 벌어지는 동안 그처럼 생기가 넘치고 경쾌하고 활기찬 도시는 없었다. 아침부터 저녁까지 종교의식 행진, 순례자 행렬, 수직 양탄자가 깔리고 꽃까지 뿌려진 거리, 론 강을 건너 속속 도착하는 추기경들, 바람에 펄럭이는 단기들, 깃발들이 나부끼는 갤리선들, 광장에 모여 라틴어로 성가를 노래하는 교황의 병사들, 모금을 하느라고 따르라기를 울리는 사제들, 게다가 벌집에 달라붙은 벌떼처럼 교황의 궁전 주위에 옹기종기 붙어 있는 집들, 레이스 직공들이 내는 소리, 법의의 금실을 짜느라 오가는 베틀북 소리, 미사용 포도주 병을 다듬는 망치질 소리, 공방에서 현악기 음향판을 조율하는 소리, 날을 걸면서 부르는 직공들의 찬송가 소리, 위쪽에서 들리는 종소리와 아래쪽 다리에서 둥둥 울리는 북소리. 기쁠 때는 흥겹게 춤추는 게 우리네의 흥이 아닌가. 그런데 그 시절 아비뇽의 거리는 파랑돌을 추기에는 너무 비좁았다. 그래서 론 강의 시원한 바람 부는 다리 위에서 피리와 북소리에 맞춰 낮이고 밤이고 춤을 추고 또 추었다. 아! 행복한 시절이여! 행복이 가득한 도시여! 미늘창이 목을 베는 데 사용되지 않고, 감옥이 포도주 저장고로 사용되던 시절. 굶주림도 없고 전쟁도 없던 시절……. 이처럼 백성을 다스릴 줄 아는 교황들, 사람들이 교황들을 그토록 그리워한 것은 바로 그 때문이다.

교황들 중에서도 특히 보니파스라는 이름의 나이 든 교황이 있었다. 그 교황이 승하했을 때 아비뇽은 눈물바다가 되었다. 얼마나 어질고 얼마나 자상한 교황이었던가! 노새를 타고 가면서 환하게 웃어주는 교황! 교황 옆을 지나가면—그 사람이 가난한 염색 직공이든 대법관이든 신분의 고하를 막론하고—얼마나 정중하게 일일이 축복을 내려주었던가! 이브토 왕*(프랑스 시인이자 샹송 가수인 피에르 장 드 베랑제

(1780~1857)의 유명한 작품에 등장하는 성군_역주) 못지않게 어진 교황, 박하꽃 가지를 꽂은 뾰족한 삼각모를 쓰고 푸근한 미소를 지어 보이는 프로방스의 이브토 왕, 하지만 이 어진 교황의 애인이란 아비뇽에서 12킬로미터 떨어진 샤토 뇌프의 은매화 숲에 몸소 재배해놓은 작은 포도밭이었다.

　일요일마다 저녁기도를 끝내고 나면 교황은 포도밭을 둘러보러 가곤 했다. 포도밭에 이르러 교황이 양지 바른 곳에

자리를 잡고 앉으면 그 옆에 노새가 앉았고, 이어서 추기경을 포함한 수행원들이 그루터기 발치에 쭉 둘러앉았다. 그렇게 모두들 자리를 잡고 앉으면 교황은 그곳의 포도로 빚은 포도주—루비 빛깔의 이 고급 포도주는 그 뒤로 교황의 샤토뇌프라고 불리게 되었다—병의 마개를 따게 했다. 그러고는 감회에 젖은 얼굴로 포도밭을 둘러보면서 포도주를 조금씩 음미했다. 이윽고 술병이 비고 날이 저물면, 즐거운 기분으로 수행원들을 거느리고 시내로 돌아오곤 했다. 북소리에 맞춰 파랑돌 춤이 한창 흥겨운 아비뇽 다리를 지날 때면 노새도 음악에 맞춰 펄쩍펄쩍 뛰었고, 교황도 뾰족한 삼각모를 흔들며 장단을 맞추었다. 추기경들은 눈살을 찌푸리며 못마땅한 얼굴을 했지만, 백성들은 입을 모아 환영했다. "오, 어진 성군이시여! 오, 자상한 교황이시여!"

교황이 샤토뇌프 포도밭 다음으로 제일 좋아하는 것은 자신의 노새였다. 노새를 어찌나 애지중지하던지 저녁마다 잠자리에 들기 전에 마구간의 문이 잘 닫혀 있는지, 여물통 안에 부족한 것은 없는지 몸소 가서 살피는 것은 물론, 추기경들의 따가운 시선도 아랑곳하지 않고 자신이 지켜보는 가운데 설탕과 향료를 듬뿍 넣게 한 프랑스식 포도주 한 사발을 노새에게 손수 가져갈 정도였다. 붉은 반점이 있는 검정 노새, 교황의 노새는 그럴 만한 가치가 충분히 있었다. 튼실한 다리에 반들거리는 털하며 투실투실한 엉덩이, 술 장식과 장미 매듭 리본에다 은방울까지 온갖 치장을 하고서 도도하게 바짝 처드는 머리, 천사처럼 온화한 얼굴에 천진난만한 눈망울을 굴리며 길다란 귀를 연신 쫑긋거리는 노새는 정말이지 착한 아이 같은 모습이었다. 아비뇽 사람들은 누구나 노새에게 경의를 표했다. 노새가 거리에 나오면 예의까지 깍듯이 지킬 정도였다. 교황의 총애를 얻는 데 그보다 좋은 방법이 없다는 걸 모두들 알고 있는 까닭이었다. 그 순진무구한, 교황의 노새에게 놀라울 만한 모험을 한 티스테 베덴이 엄청난 출세를 하게 된 것이 그 증거였다.

이 티스테 베덴이란 인물은 기 베덴이라는 세공사의 아들이었는데, 어찌나 빈둥빈둥 놀면서 견습공들에게까지 나쁜 물을 들이는지 아버지도 도저히 참을 수 없어 집에서 내쫓아버린 천하의 망나니였다. 그런데 이 망나니는 비참한 몰골로 비렁뱅이 생활을 하면서도 이상하게도 여섯 달 동안이나 교황의 궁전 주위를 서성거렸다. 오래 전부터 교황의 노새에 대해 어떤 꿍꿍이속이 있었던 것이다. 어떤 흉계인고 하니…… 교황이 노새를 데리고 홀로 성벽 밑을 산책하고 있던 어느 날, 살금살금 다가간 티스테가 두 손을 모아 공손하게 경의를 표하면서 은근슬쩍 말을 걸었다.

"위대한 성부시여! 너무도 멋진 노새이옵니다! 성하의 노새를 잠시만 보게 해주소서! 오! 성하, 독일의 황제에게도 이런 노새는 없을 것이옵니다."

티스테는 노새를 쓰다듬으면서 마치 아가씨라도 상대하는 듯 노새에게 달콤한 말을 건넸다.

"이리 와봐요, 오! 나의 보석, 나의 보물, 나의 진주!"

이에 감동한 교황은 속으로 이렇게 말했다.

'거 참 착한 사내아이로다! 나의 노새를 이처럼 예뻐하다니!'

자, 이튿날 무슨 일이 일어났겠는가? 티스테 베덴은 해질 대로 해진 누런 옷 대신에 레이스 달린 화려한 장백의에 보랏빛의 짧은 실크 망토, 고리 장식이 달린 구두까지 신고서 귀족의 자제나 추기경들의 조카들 이외에는 절대 받아주지 않는 교황의 성가대에 들어갔다. 이것이 바로 그 망나니가 꾸미고 있던 꿍꿍이속이었다. 하지만 티스테는 그것으로 만족하지 않았다.

일단 교황을 섬기게 되자 그 괴짜는 멋들어지게 성공해낸 연기를 계속했다. 모든 사람에게는 건방지게 굴면서도 노새에게만은 친절하고 세세하게 마음을 써주었다. 궁전 마당에서 노새와 마주칠 때를 대비하여 귀리 한줌과 잠두 한 다발을 늘 지니고 다니다가 교황의 발코니를 바라보면서 장밋빛 꼬투리들을 흔들어대는 폼이 꼭 이렇게 말하는 것 같았다. '보라고요! 이게 누굴 위한 거겠어요?' 어느덧 나이가 들어 기력이 떨어지는 걸 느낀 교황은 마구간을 보살피는 일이며 프랑스식 포도주를 노새에게 가져다주는 일도 결국 티스테에게 맡기기에 이르렀다. 추기경들은 이 조치를 달갑게 여기지 않았다.

달갑게 여기지 않는 것은 노새도 마찬가지였다. 티스테가 마구간을 들락거리면서부터는 포도주를 먹을 때가 되면 으레 레이스 달린 장백의에 짧은 망토까지 걸친 성가대의 어린 학생 대여섯 명이 우르르 몰려와서 짚단 속에서 법석을 떨었던 것이다. 잠시 후 뜨거운 캐러멜과 향긋한 냄새가 진동하면서 이윽고 티스테 베덴이 프랑스식 포도주 사발을 조심스럽게 들고 나타났다. 이때부터 불쌍한 노새의 수난이 시작되었다.

몸을 따뜻하게 해주고 가뿐하게 만들어줘서 노새가 그토록 좋아하는 향긋한 포도주를 잔인하게도 여물통 안에 내려놓고 냄새만 풍기면서 약을 올렸던 것이다. 그러다 노새가 군침을 흘리면서 콧구멍을 벌름벌름거릴 즈음이면 "냄새를 실컷 맡았지? 그걸로 됐어!" 하고 말하고는 야속하게도 그 장밋빛 달콤한 포도주를 성가대 악동들의 목구멍으로 넘어가게 했으니…… 그런데 그 악동 녀석들이 포도주를 빼앗아 먹는 것만으로 끝나면 다행이었지만, 술을 마신 탓인지 녀석들이 악마처럼 변해버렸으니! 귀를 잡아당기는 녀석에 꼬리를 잡아당기는 녀석, 키케라는 녀석은 등에 올라타고 벨뤼게란 녀석은 모자를 씌우면서 못살게 굴었다. 이 악동들 중 한 녀석도 노새가 옆구리차기나 뒷발차기 한 방이면 북극성이나 심지어는 더 멀리까지 모조리 날려버릴 수 있다는 걸 꿈에도 생각하지 못하고 있었다. 너그럽기로 이름난 신망받는 교황의 노새가 그만한 일로 그럴 수는 없는 법……. 아이들이 아무리 못되게 굴어도 노새는 화를 내지 않았다. 노새가

원망하는 사람은 오직 티스테 베덴뿐이었다. 티스테가 뒤에 있는 느낌이 들면 노새는 뒷발차기를 하고 싶어서 몸이 근질 근질했는데 정말이지 충분히 그럴 만도 했다. 그 망나니 티 스테란 놈이 얼마나 비열한 농간을 부렸던가! 술만 마시기만 하면 상상도 못할 끔찍한 일을 꾸미곤 했으니!

어느 날 티스테는 급기야 궁전 꼭대기, 종루로 노새를 데 리고 올라갈 생각까지 하기에 이르렀으니! 지금 하는 얘기는 내가 꾸며낸 것이 아니다. 20만 명에 이르는 프로방스 사람 들이 두 눈으로 똑똑히 본 사실이니까. 헤아릴 수 없이 많은 나선 계단을 더듬더듬 돌고 돌아서 그렇게 한 시간을 올라간 뒤에 갑자기 햇빛이 눈부시게 쏟아지는 옥상에 이르렀을 때, 까마득하게 내려다보이는 환상적인 아비뇽 전 시가지, 개암 열매처럼 작게 보이는 시장의 가건물들, 병사 앞에서 훈련하 는 붉은 개미떼 같은 교황의 병사들, 은실처럼 가느다란 다 리에서 춤추는 사람들……을 보고 노새가 얼마나 벌벌 떨었 을지 상상해보라. 아! 가여운 노새! 얼마나 무서웠으면! 겁에 질린 노새가 내지르는 울음소리에 궁전의 유리창이란 유리창은 모두 흔들렸다.

"이게 무슨 일이냐? 대체 노새에게 무슨 일이 생긴 거야?"
교황이 발코니로 후다닥 뛰어나오면서 외쳤다.

어느새 궁전 앞뜰에 내려와 있던 티스테 베덴은 머리칼을
쥐어뜯으면서 눈물을 뚝뚝 흘리는 연극을 하고 있었다.

"오! 성하, 이 일을 어쩌면 좋겠습니까? 성하의 노새가 종
루에 올라갔습니다."

"저 혼자서 말이냐?"

"그러하옵니다, 성하. 혼자서……. 저기, 저 위를 보시옵소서. 쫑긋거리는 귀가 보이시옵니까? 한 쌍의 제비처럼……."

"야단났군!" 교황이 종루를 올려다보면서 말했다. "그런데 저 녀석이 실성을 했나? 저러다 죽게 생겼어. 내려오란 말이다, 이 불쌍한 녀석아!"

가여운 노새! 내려가고 싶은 마음이야 노새가 더 굴뚝 같지 않았겠는가! 하지만 어디로? 계단, 그건 생각만 해도 아찔했다. 올라올 때도 간신히 왔는데 내려갈 때는 100번도 더 다리를 구부려야 할 테니 왜 아니 그렇겠는가. 이러지도 저러지도 못해 옥상을 서성거리는 가여운 노새는 어지러움에 눈망울을 떼굴떼굴 굴리면서도 오로지 한 가지 생각밖에 없었다.

'불한당 같은 놈! 여길 내려가기만 해봐라. 내일 아침에는 발굽차기로 본때를 보여줄 테니!'

발굽으로 차버릴 생각을 하자 노새는 용기가 생겼다. 그런 생각이라도 하지 않으면 노새는 버텨낼 수 없었을 것이다.

결국 노새를 옥상에서 끌어내리기에 이르렀다. 하지만 간단한 일이 아니었다. 기중기며 밧줄이며 들것이며 모두 동원해서 내려야 했다. 교황의 노새가 흡사 실에 매달린 풍뎅이처럼 대롱대롱 매달려서 허공에서 허우적거리다니 얼마나 수치스러웠을지 생각해보시라. 그것도 아비뇽 사람들이 모두 쳐다보고 있는 가운데!

가여운 노새는 밤에도 잠을 이루지 못했다. 사람들의 비웃음을 받으면서 아직도 그 아찔한 옥상에서 빙글빙글 돌고 있는 것만 같았다. 노새는 다음날 아침에 그 비열한 티스테 베덴에게 멋지게 발굽을 날릴 생각에 골몰했다. 오! 친구들이여, 기대하시라, 아주 멋진 발굽차기를 해보일 테니! 팡페리구스트에서도 연기처럼 사라지는 티스테가 보이게 해줄 테니……. 그런데 노새가 이렇게 마구간에서 멋지게 한방 먹일 준비를 하고 있는 사이에 당사자인 티스테 베덴은 뭘 하고 있었을까? 티스테는 교황의 갤리선에 올라 콧노래를 부르며 론 강을 따라 내려가고 있었다. 해마다 외교술과 예절을 연마하기 위해 잔 여왕에게 파견되는 젊은 귀족들과 함께 나폴리 궁정으로 떠나는 길이었다. 티스테는 귀족이 아니었지만, 평소에 노새를 극진하게 보살펴주었고, 특히 구조작업을 벌이는 동안에 보여준 공로에 대한 보답으로 교황이 상을 내린 것이었다.

다음날 노새의 실망은 이만저만이 아니었다!

"그 깡패 같은 놈! 놈이 낌새를 챈 거야!" 울화가 치민 노새가 방울을 흔들면서 분통을 터뜨렸다. "하지만 돌아오기만 해봐라. 내 발굽 맛은 그때 보여주지!"

노새는 그날이 오길 기다리며 꾹 참았다.

티스테가 떠난 뒤로 교황의 노새는 평온한 생활과 예전의 모습을 되찾았다. 키케도 벨뤼게도 더 이상 마구간에 나타나지 않았던 것이다. 그 달콤한 프랑스식 포도주를 먹는 행복한 날들이 돌아왔을 뿐만 아니라 기분 좋게 낮잠도 늘어지게 잤고, 아비뇽 다리를 건널 때면 예전처럼 경쾌한 발걸음으로 춤을 추었다. 하지만 소동이 일어난 뒤로는 노새를 바라보는 시민들의 시선이 전 같지 않았다. 노새가 지나갈 때면 숙덕거리는 소리까지 들렸다. 고개를 설레설레 흔드는 노인들, 종루를 바라보면서 깔깔대는 아이들. 그뿐이 아니었다. 어진 교황도 노새를 예전처럼 신뢰하지 않았다. 일요일마다 포도밭에 갔다가 돌아오는 길에는 늘 노새의 등에 앉아 꾸벅꾸벅 졸던 교황은 이제 불안에 떨면서 마음을 졸이게 되었다. '눈을 떴을 때 종탑 옥상에 올라가 있으면 어쩌지?' 교황의 생각을 알아챈 노새는 괴로웠지만 아무런 내색도 하지 않았다. 다만 티스테 베덴이란 이름이 들리기만 해도 길다란 귀를 파르르 떨면서 발굽 편자를 갈 뿐이었다.

그렇게 7년이란 세월이 흘렀고, 티스테 베덴도 나폴리에서 돌아왔다. 티스테의 야심에 또 발동이 걸린 것이다. 교황의 '거자 담당 수석시종' *(아비뇽의 교황 요한 22세가 무능력한 조카를 위해 만들어낸 직책에서 유래한다_역주)이 갑자기 사망했다는 소식을 접하고 욕심이 난 티스테가 수석시종 후보 대열에 끼기 위해 부랴부랴 돌아온 것이니.

모사꾼 티스테가 접견실에 들어섰을 때 교황은 그를 알아보지 못했다. 티스테가 키도 크고 몸이 불기도 했지만, 어진 교황도 그 사이에 많이 늙어서 안경 없이는 잘 보이지 않는

탓도 있었다.

그래도 티스테는 위축되지 않았다.

"성하, 저를 알아보지 못하시겠사옵니까? 티스테 베덴이옵니다!"

"베덴?"

"성하의 노새에게 포도주를 가져다주던 베덴이옵니다."

"아! 그래…… 그래…… 생각나는구나……. 착한 소년 티스테 베덴이로구나. 그런데 무슨 일로 왔느냐?"

"별일 아니옵니다, 성하. 한 가지 청이 있어서……. 성하, 그 노새가 아직도 있사옵니까? 노새는 잘 지내고 있사옵니까? 아! 정말 다행이옵니다! 얼마 전에 공석이 된 '겨자 담당 수석시종' 자리를 제게 맡겨달라는 청을 드리려고 왔사옵니다."

"너한테 '겨자 담당 수석시종' 자리를 달라? 하지만 넌 너무 어려. 몇 살이 되었는고?"

"스무 살하고도 두 달이 지났으니 노새보다 다섯 살이나 더 먹었사옵니다. 얼마나 멋지고 착한 노새였는지요! 제가 그 노새를 얼마나 사랑했는지 아신다면! 이탈리아에서도 얼마나 보고 싶었는지 모르옵니다. 노새를 만나러 가도 되겠사옵니까?'

 "아무렴 되고말고." 감동한 교황이 말했다. "네가 그토록 노새를 사랑하고 있으니 나도 네가 노새 곁에서 살기를 바란다. 오늘부터 당장 너를 '겨자 담당 수석시종' 자격으로 내 곁에 두겠노라. 추기경들이 난리를 치겠지만 하는 수 없어. 난 이제 그들의 잔소리에는 만성이 되었으니까. 내일 저녁

기도가 끝난 뒤에 오너라. 추기경들이 참석한 가운데 네 관직의 배지를 수여하겠노라. 그러고 나서 너를 노새에게 데려가고, 함께 포도밭으로 갈 것이야. 그럼, 이제 그만 물러가거라."

흡족한 마음으로 접견실을 나온 티스테 베덴이 다음날의 임관식을 얼마나 초조하게 기다렸을지 굳이 말할 필요가 없을 것이다. 하지만 궁전 안에 티스테보다 더 기뻐하면서 다음날을 초조하게 기다리는 누군가가 있었으니…… 그게 노새였음은 두말할 것도 없다. 티스테가 돌아온 순간부터 다음날 저녁기도가 시작될 때까지 노새는 배가 터질 만큼 귀리를 먹고 나서 벽에 대고 뒷발차기 연습을 했다. 노새도 배지 수여식을 위해 준비를 하고 있었던 것이다.

이튿날, 약속된 대로 저녁기도가 끝나는 시간에 티스테 베덴은 교황의 궁정으로 들어섰다. 고위 성직자들은 모두 참석해 있었다. 붉은 법의를 입은 추기경들, 검은 벨벳을 입은 매서운 법관, 작은 삼각모를 쓴 수도원의 사제들, 성 아그리코 성당의 교구 재산 관리위원들, 보랏빛의 짧은 망토를 걸

친 성가대원들, 하급 성직자들, 제복 차림의 병사들, 세 명의
고해 신부들, 방투 산의 무뚝뚝한 은자들, 종을 들고 뒤따르
는 복사(服事), 허리까지 맨살을 드러낸 편달 고행 수도사
*(자기를 채찍질하며 고행하는 수도사를 일컫는다_역주)들,
법의 차림의 혈색 좋은 성기 책임자들, 성수를 주는 사람과
촛불을 켜는 사람, 촛불을 끄는 사람에 이르기까지 하나도
빠짐없이 모두 참석해 있었다. 아! 얼마나 멋진 임관식인가!
종소리에 이어 폭죽 터지는 소리, 쏟아지는 햇살, 음악소리,
그리고 아래쪽 아비뇽 다리 위에서 여전히 신명나게 울려대
는 북소리에 맞춰 벌어지는 춤판.

   티스테가 등장하자 그의 늠름한 풍채와 잘생긴 얼굴에 여
기저기서 탄성이 터져나왔다. 티스테는 프로방스의 전형적
인 멋쟁이 모습을 하고 있었다. 곱슬곱슬한 숱진 금발하며
세공사인 아버지가 놀리는 끝에서 떨어진 금속 부스러기를
붙인 듯 뽀송뽀송한 수염을 보면, 잔 여왕이 홀딱 반해서 그
금빛 수염을 만지작거렸다는 소문이 날 법도 했다. 실제로
티스테는 여왕들의 총애를 받는 젊은이들의 거만한 태도와

경박한 눈초리를 하고 있었다. 이날, 티스테는 고향을 빛내기 위해서 나폴리풍의 복장 대신 프로방스풍으로 장미를 수놓은 재킷에 카마르그 지방의 따오기 깃털을 단 모자를 쓰고 있었다.

티스테는 정중하게 인사를 하고 나서 곧장 층계로 향했다. 임관 배지를 비롯하여 노란 회양목 스푼과 노란색 제복을 수여하기 위해 교황이 층계 위에서 기다리고 있었던 것이다. 노새는 마구를 갖추고 포도밭으로 떠날 만반의 채비를 하고 층계 밑에 있었다. 그 옆을 지나가던 티스테 베덴은 빙긋이 웃으면서 멈춰 서더니 교황이 보고 있는지 곁눈질로 살피면서 다정하게 노새의 등을 두세 번 토닥였다. 절호의 기회가 아닌가. 노새가 펄쩍 뛰어올랐다.

"자, 받아라, 이 날강도 놈아! 7년을 벼르고 별러온 것이니까!"

노새는 무시무시하게 강력한 발굽차기를 한방 날렸다. 팡페리구스트에서도 그 연기가 보일 정도로 가공할 만한 뒷발차기였다. 회오리 같은 황금빛 연기 속에 나풀거리는 따오기 깃털은 티스테 베덴이 남긴 유일한 유품이 되고 말았다. 노새의 뒷발차기가 마치 벼락을 치듯 분쇄하는 가공할 힘을 가지고 있는 건 물론 아니다. 하지만 이 노새는 교황의 노새가 아닌가. 게다가 7년 동안 별러온 것이 아닌가. 복수 중에서 이보다 더 통쾌한 예는 없을 것이다.

퀴퀴냥의
신부

Le curé de Cucugnan

해마다 2월 2일 성촉절*(그리스도 봉헌축일 및 성모가 성전에 가서 지정된 예물을 드리던 날을 기리는 축제일_역주)이 되면 프로방스의 시인들은 아름다운 시와 재미있는 설화를 엮어 꾸민 예쁜 책을 발간한다. 올해의 책이 방금 도착했기에 거기 실린 감동적인 우화 한 편을 간추려서 소개하고자 한다. 파리 시민들이여, 광주리를 내밀라. 이제부터 대접하려고 하는 것은 프로방스의 특등품이니까……

마르탱 신부는 퀴퀴냥의 주임사제였다.

그지없이 친절하고 어린아이처럼 순수한 마르탱 신부는 퀴퀴냥 사람들을 자식처럼 사랑했다. 퀴퀴냥 사람들이 조금이라도 기쁘게 해주었다면 신부에게 있어 퀴퀴냥은 지상의 천국이었을 것이다. 하지만 안타깝게도 고해실에는 거미줄이 쳐 있고, 부활절에는 성체의 빵이 성합 안에 고스란히 남곤 했으니! 그럴 때마다 상심한 신부는 하느님께 길 잃은 양들을 교회의 품안으로 인도하기 전에는 죽지 않게 해달라고 빌었다.

그런데 하느님은 신부의 말을 이렇게 들어주셨다.

어느 일요일, 복음서를 읽은 후 마르탱 신부는 제단으로 올라갔다.

형제자매 여러분, 지금부터 하는 이야기를 믿어주기 바랍니다. 어젯밤 이 죄 많은 사람은 천국의 문 앞에 서 있었습니다.

문을 두드리자 성 베드로께서 문을 열어주시는 것이 아니겠습니까.

"아니! 마르탱 신부님이 아니시오? 여기까지 무슨 일로 오시었소? 무엇을 도와드릴까요?"

"성 베드로께서는 명부와 열쇠를 가지고 계시니 무리한 청

이 아니라면 퀴퀴냥 사람들이 천국에 몇 명이나 와 있는지 말씀해주시겠습니까?"

"그 청을 거절할 까닭이 없지요, 마르탱 신부님. 이리 와서 앉으세요, 함께 살펴봅시다."

그렇게 말하고 나서 성 베드로께서는 명부를 펼치고 안경을 쓰셨습니다.

"어디 봅시다. 퀴퀴냥이라고 하셨지요? 퀴…… 퀴…… 퀴퀴냥, 아, 여기 있군요. 퀴퀴냥…… 마르탱 신부님, 그런데 이 페이지는 비어 있군요. 한 사람도 없습니다. 퀴퀴냥 사람은 눈 씻고 찾아봐도 없군요."

"어떻게 이럴 수가! 이곳에 퀴퀴냥 사람이 한 명도 없단 말씀입니까? 한 사람도? 그럴 리가 없습니다! 다시 한 번 잘 봐주십시오."

"한 사람도 없습니다. 내가 농담을 한다고 생각한다면 직접 보세요."

나는 안타까워서 발을 동동 구르다가 두 손을 모으고 용서를 빌었지요. 그러자 성 베드로께서 이렇게 말씀하셨습니다.

"나를 믿으세요, 마르탱 신부님. 그렇게 애태우지 마세요. 그러다 쓰러지기라도 하면 어쩌려고 그러세요. 어쨌거나 신부님의 잘못은 아닙니다. 신부님의 퀴퀴냥 사람들은 연옥에서 40일간의 단식과 속죄를 행하고 있는 것이 틀림없습니다."

"성 베드로여! 저를 긍휼히 여기시어 그들을 만나 위로하게 해주소서."

"기꺼이 들어드리지요. 자, 이 신발을 어서 신으세요. 이제부터 가야 할 길은 험하니까요. 이제 되었으니 곧장 앞으로 가세요. 저 아래 모퉁이가 보이지요? 그곳으로 가면 오른쪽에 검은 십자가가 총총히 박힌 은문銀門이 있을 겁니다. 문을 두드리면 열어줄 것이오. 부디 몸조심해서 무사히 도착하시오."

나는 걷고 또 걸었습니다! 얼마나 헤매고 다녔던지! 생각만 해도 소름이 끼치는 길이었지요. 온 사방이 가시덤불인데다 시뻘건 돌들이 번쩍거리고, 뱀들이 혀를 날름거리는 작은 오솔길을 따라 가까스로 은문에 이르렀지요.

"탕! 탕!"

"게 누구요?" 퉁명스런 목소리가 소리쳤지요.

"퀴퀴냥의 사제입니다."

"어디라고요?"

"퀴퀴냥에서 왔습니다."

"들어오시오."

들어가 보니 대낮처럼 눈부신 옷에 밤처럼 시커먼 날개를 단 키다리 천사가 허리춤에 다이아몬드 열쇠를 매달고서 성 베드로의 것보다 더 두껍고 커다란 명부에 뭔가를 쓰고 있었습니다.

"그래, 무슨 일로 오셨소?"

천사가 물었습니다.

"하느님의 천사여, 이곳에 퀴퀴냥 사람들이 있는지 알고 싶어서 왔습니다."

"누구요?"

"퀴퀴냥 사람들이요. 저는 퀴퀴냥의 주임사제입니다."

"아! 마르탱 신부님이 아닙니까?"

"네, 그렇습니다."

"퀴퀴냥이라고 하셨지요……."

그러면서 천사가 커다란 명부를 펼치더니 손가락에 침까지 묻혀가면서 페이지를 넘겼지요. 긴 한숨을 내쉬면서 천사가 말했습니다.

"퀴퀴냥이라…… 마르탱 신부님, 연옥에는 퀴퀴냥 사람이 없습니다."

"예수 그리스도여! 성모 마리아여! 요셉이여! 연옥에도 퀴퀴냥 사람들이 없다고 합니다. 오, 하느님! 그럼 그들이 대체 어디에 있단 말이옵니까?"

"신부님도 참! 천국에 있지 어디에 있겠습니까?"

"지금 천국에서 오는 길입니다."

"천국에서 오는 길이라고요? 그런데?"

"천국에는 없었습니다. 아, 천사들의 어머니시여!"

"천국에도 연옥에도 없다면 그들은 필시……."

"십자가에 못 박히신 예수 그리스도여! 다윗의 자손이시여! 오! 어떻게 이럴 수가 있습니까? 성 베드로께서 거짓말을 하신 걸까요? 닭 울음소리도 들리지 않았건만! 오! 나의 퀴퀴냥 사람들이 여기도 없다면 제가 어떻게 천국으로 갈 수 있겠습니까?"

"마르탱 신부님, 그렇게 꼭 그들이 어떻게 되었는지 직접 보고 싶어하시니 알려드리지요. 이 길을 따라가되 무조건 뛰어가세요. 그러면 왼쪽에 커다란 문이 있을 겁니다. 거기서 물으면 모든 걸 알 수 있을 겁니다. 하느님께서 인도해주시기를!"

그리고 천사는 문을 닫았습니다.

시뻘건 불이 깔려 있는 길고 긴 길이었습니다. 나는 마치 술 취한 사람처럼 비틀거리면서 걸음을 뗄 때마다 고꾸라졌습니다. 몸은 흠뻑 젖어서 땀이 뚝뚝 떨어졌고, 목이 타서 숨을 헐떡였지요. 하지만 성 베드로께서 주셨던 신발 덕분에 발을 데지는 않았습니다.

그렇게 절뚝거리면서 한참을 가자, 왼쪽에 문이 보였습니다. 커다란 화덕처럼 입을 쩍 벌리고 있는 어마어마하게 큰 현관문이 보였습니다. 아! 그 무시무시한 광경! 거기서는 내 이름을 묻지도 않았습니다. 명부 같은 건 아예 없었습니다. 일요일마다 여러분이 카바레에 들어가는 것처럼 사람들이 문이 미어지게 무더기로 들어가고 있었습니다.

땀이 뻘뻘 나는데도 몸서리가 쳐지면서 온몸이 으슬으슬 떨렸고, 머리칼이 쭈뼛하게 섰지요. 대장장이 엘루아가 늙은 당나귀의 발에 편자를 박을 때 퀴퀴낭에 진동하는 냄새와

비슷한, 살 타는 냄새가 났습니다. 타 죽을 듯이 뜨겁고 고약한 냄새가 코를 찔러서 숨을 쉴 수가 없었습니다. 소름 끼치는 비명소리, 신음소리, 울부짖는 소리, 욕설.

"너, 들어올 거야, 말 거야?"

뿔난 악마가 쇠스랑으로 나를 쿡쿡 찌르면서 소리쳤습니다.

"들어가지 않을 겁니다. 나는 하느님의 벗입니다."

"하느님의 벗 좋아하네! 이 머저리 같은 놈아! 그런데 여긴 뭐하러 왔느냐?"

"내가 온 건……. 다리가 후들거려서 서 있기도 힘드니까 제발 그렇게 윽박지르지 마세요. 내가 온 건…… 혹시…… 이곳에…… 퀴퀴냥 사람이 있는지 물어보려고 아주 멀리서 왔습니다."

"이런! 퀴퀴냥 사람들이 모두 여기 있다는 걸 뻔히 알고 있으면서 시치미를 떼기는! 이런 못난 신부 같으니라구. 똑똑히 보라구. 우리가 그 잘난 퀴퀴냥 사람들을 얼마나 혼내주고 있는지를."

그래서 나는 무시무시하게 소용돌이치는 불구덩이 속을 보았지요.

여러분이 잘 아는 그 키다리 코크 갈린, 걸핏하면 술에 취해서 불쌍한 클레롱을 못살게 굴던 코크 갈린이 있었지요.

또 헛간에서 밤을 보내던 그 들창코 처녀, 그 매춘부 카타리네……. 이런, 여러분의 기억을 돕느라고 쓸데없는 말이 많았군요. 이쯤에서 그만두겠습니다.

쥘리엥의 올리브를 훔쳐다가 기름을 짜던 파스칼 두아 드 푸아도 있었지요.

더 빨리 밀 짚단을 묶겠다는 욕심에 남이 쌓아올린 더미에서 한 움큼씩 슬쩍슬쩍 빼내던 여자 바베도 보이더군요.

그리고 자기의 손수레 바퀴에만 기름을 철철 흐를 정도로 많이 치던 그라파시 영감님도 보았지요.

또 우물물을 아주 비싸게 팔아먹던 도핀.

삼각모에 파이프까지 물고 지극히 오만하게 거들먹거리면서 다니다가도 성체를 모시고 가는 나와 마주치면 마치 개하고 마주치기도 한 듯이 허둥지둥 내빼던 르 토르티야르.

그리고 제트와 같이 있는 쿨로, 자크, 피에르, 토니…….

신부의 얘기를 들으면서 하얗게 질려서 벌벌 떨던 사람들은 지옥에 떨어진 아버지와 어머니, 할머니와 여동생 등을 떠올리면서 흐느껴 울었다.

"형제자매 여러분, 계속해서 이런 식으로 살아가면 안 된다는 걸 여러분은 충분히 느끼셨을 겁니다. 나는 여러분의 영혼을 책임진 사람입니다. 여러분이 곤두박질치고 있는 구렁텅이에서 구원해드리겠습니다. 더 늦지 않게 당장 내일부터 시작해야겠습니다. 만반의 준비가 되어 있습니다! 어떻게 시작할지 방법도 생각해놓았습니다. 일이 순조롭게 이루어지려면 질서를 지켜야 합니다. 종키에르 축제에서 춤을 출 때처럼 차례를 지켜서 해나갑시다.

월요일에는 노인들의 고해를 받겠습니다.

화요일에는 아이들인데 일찍 끝내게 될 것입니다.

수요일에는 총각과 처녀들의 고해를 받겠습니다. 아마 오래 걸릴지도 모르겠습니다.

목요일에는 남자분들, 빨리 끝내도록 합시다.

금요일에는 여자분들, 당부하건대 거짓말은 금합니다.

토요일에는 방앗간 주인입니다! 한 사람이지만 하루도 모자랄 것입니다.

그리고 고해성사가 끝나는 일요일에는 우리 모두 홀가분한 마음에 행복해질 것입니다.

여러분, 밀이 익으면 거둬들여야 하고, 포도주 병을 땄으면 마셔야 합니다. 수치스러운 행동은 이것으로 충분하니까

이제는 깨끗이 씻어야 합니다.

여러분에게 신의 은총이 내리기를, 아멘!'

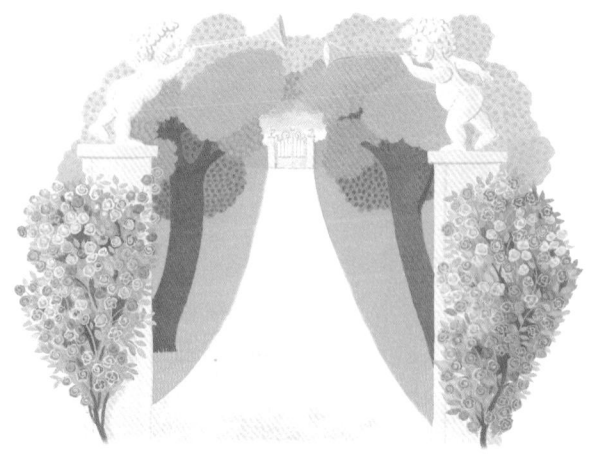

신부의 말대로 착착 진행되었다. 사람들은 수치의 때를 깨끗이 씻어냈다.

이 잊지 못할 일요일부터 퀴퀴냥 사람들이 행하는 덕의 향기는 40킬로미터 너머 사방으로 퍼져나갔다.

그리고 행복과 기쁨에 찬 마르탱 신부는 신도들을 이끌고 하느님의 왕국으로 가는 불빛 환한 길을 오르는 꿈을 꾸었다. 수많은 촛불과 향에서 피어오르는 구름 같은 연기, 그리고 감사의 노래를 부르는 어린이 성가대에 둘러싸인 눈부신 행렬이었다.

쿼쿼냥 신부의 이야기는 루마니유라는 가난뱅이가 친구로부터 들은 이야기이며, 나도 그에게서 들은 그대로 전한 것이다.

노인들

Les vieux

"편지가 왔소, 아장 영감?"

"네, 주인님, 파리에서 왔습니다."

선량한 아장 영감은 파리에서 편지가 왔다는 사실만으로 몹시 우쭐해하고 있었다. 하지만 나는 아니었다. 이른 아침에 난데없이 파리의 장 자크 거리에서 날아온 편지가 어쩐지 나의 하루를 날려버릴 것 같은 느낌이 들었다. 아니나 다를까, 내 예측은 빗나가지 않았다.

친구, 나를 좀 도와줘야겠네. 방앗간을 하루만 닫고 당장 에기에르에 가주기 바라네. 에기에르는 거기서 15킬로미터

쯤 떨어진 곳에 있는 큰 마을이니 산책을 간다고 생각하게나. 에기에르에 이르거든 고아들을 보육하는 수도원을 찾게. 그 수도원 다음 첫 번째 집, 회색 덧문에 지붕이 낮고, 뒤꼍에 정원이 있는 집일세. 대문은 항상 열려 있으니까 두드리지 말고 들어가서 큰 소리로 "안녕하십니까? 저는 모리스의 친구입니다……" 하고 말하게. 그러면 키가 자그마한 두 노인, 그냥 늙은 정도가 아니라 연세가 아주 많은 두 노인이 안락의자에 앉아 있다가 두 팔을 내밀며 반겨줄 걸세. 자네가 내 대신, 그 노인들을 자네의 조부모라고 생각하고 진심으로 그들을 안아주게. 노인들은 나에 대해, 오로지 내얘기만 할 걸세. 끝도 없이 내 얘기만 하더라도 진지하게 들어주게나. 그래 줄 거지? 나를 인생의 전부라고 생각하며 살아가시는 나의 할아버지와 할머니라네. 그런데 10년 동안이나 나를 보지 못하셨으니……. 10년이란 긴 세월이지! 하지만 어쩌겠나! 파리는 나를 놓아주지 않지, 고령이신 분들이라 혹시 다치기라도 할까 봐 오시라 할 수도 없고. 그런데 자네가 거기 있어서 얼마나 다행인지 모르네. 그분들은 나를 안는 거라고 생각하면서 자네를 품에 안아주실 거야. 우리의 우정에 대한 얘기를 자주 해드려서 자네를 잘 알고 계시다네.

우정은 무슨 얼어죽을 우정! 이날 아침은 날씨가 제법 좋은 편이긴 해도 선뜻 길을 나설 마음이 내키지 않았다. 미스트랄이 심하게 부는 데다 햇빛이 너무 강한 프로방스의 전형

적인 날씨였으니. 게다가 그 망할 놈의 편지가 배달되었을
때, 나는 이미 봐두었던 바위 사이의 보금자리에서 하루종일
도마뱀처럼 햇볕을 쬐고 소나무의 노래를 들으며 느긋하게
게으름을 피울 생각을 하고 있던 참이었다. 하지만 어쩌겠
는가? 나는 투덜거리면서 방앗간 문을 닫았고, 고양이 통로
안에 열쇠를 넣었다. 나는 지팡이와 파이프를 챙겨들고 길
을 나섰다.

2시경에 에기에르에 도착했다. 모두들 밭에 나가 있는 시
간이라 마을은 텅 비어 있었다. 먼지가 뽀얗게 앉은 느릅나
무에서는 귀가 따갑도록 매미들이 울어대고 있었다. 면사무
소 광장에서 볕을 쬐는 당나귀 한 마리, 교회 분수대로 푸드
득 날아오는 비둘기 한 마리만 있을 뿐 수도원을 가르쳐줄
사람은 아무도 없었다. 그런데 별안간 길모퉁이 대문 앞에
웅크리고 앉아서 실을 잣고 있는 마귀할멈이 눈앞에 보이는
것이 아닌가. 내가 찾는 집을 물어보자, 염력이 얼마나 대단
한지 실톳대를 들기만 했는데도 기적처럼 눈앞에 수도원이
우뚝 서 있었다. 아치형 현관문 위로 오래된 붉은 사암 십자

가를 뿜어내는 을씨년스런 건물이었다. 그 수도원 옆에 아담한 집이 보였다. 회색 덧문, 뒤꼍 정원…… 찾고 있던 집이었다. 나는 문을 두드리지 않고 들어갔다.

시원하고 고요한 그 긴 복도, 장미색으로 칠한 벽, 밝은 색발을 통해 어릿어릿하게 내다보이는 작은 뜰, 사방을 둘러친 꽃과 빛 바랜 바이올린 무늬의 판지, 나는 영원히 잊지 못할 것이다. 옛날 어느 대법관의 집에라도 들어온 것 같았다. 복도 끝 왼쪽에 방긋이 열린 방에서 똑딱똑딱 하는 괘종시계 소리, 어린애 목소리가 들렸다. 음절을 또박또박 끊어서 책을 읽는 어린애 소리. "그…때…성…이…레…네…가…외…치…기…를…나…는…주…예…수…의…밀…이…니…라…나…는…이…짐…승…들…의…이…빨…에…가…루…가…되…어…야…한…다……." 나는 살금살금 문 앞으로 다가가서 들여다보았다.

약간 어두운 조용한 방안의 안락의자에는 불그스레한 광대뼈하며 손가락까지 주름이 자글자글한 노인이 두 손을 무릎 위에 가지런히 올려놓고 입을 벌린 채 잠들어 있었다. 노인의 발치에는 파란색 옷—고아들의 복장인 큼지막한 망토에 끈달이 모자—을 입은 계집아이가 자기보다 더 커다란 책을 펼쳐놓고 성 이레네의 생애를 읽고 있었다. 이 낭독이 집안의 모든 것에 기적을 행사한 것인가. 안락의자에서 잠든 노인, 천장에 붙어서 잠든 파리들, 창가 새장 안의 카나리아들도 조용했다. 똑딱똑딱 코를 고는 커다란 괘종시계, 닫힌 덧문 틈으로 비쳐드는 한 줄기의 굵은 하얀 햇살, 미세한 불꽃들이 생기발랄하게 춤을 추는 햇살 이외에 그 방에 깨어 있는 것이라곤 없었다. 이렇게 모두들 졸고 있는 속에서 아이는 사뭇 진지한 얼굴로 낭독을 계속했다. 그…러…자…사…자…두…마…리…가…달…려…들…어…성…인…을…잡…아…먹…었…다……. 내가 들어간 것은 바로 그 순간이었다. 방으로 뛰어든 성 이레네의 사자들이라고 해도 나보다 더 무안하지는 않았을 것이다. 그야말로 연극의 한 장면이었다. 계집아이는 비명을 지르면서 커다란 책을 떨어뜨렸고, 카나리아와 파리도 잠을 깨는가 하면 괘종시계가 울리고, 노인마저 소스라치게 놀라 벌떡 일어나는 바람에 어찌나 민망했던지 나는 문간에 선 채로 크게 소리쳤다.

"안녕하십니까, 여러분? 저는 모리스의 친구입니다."

아! 그 순간의 노인을 보았다면! 두 팔을 벌리며 다가와 나를 얼싸안고 내 두 손을 꽉 잡은 채 정신없이 방안을 도는 노인을 보았다면!

"이런! 이런!"

환하게 웃는 주름 자글자글한 얼굴이 붉게 물들었다. 노인이 더듬더듬 말했다.

"오! 이렇게 반가울 수가!"

그리고 나서 노인은 안채를 향해 소리쳤다.

"여보, 마메트!"

복도에서 가벼운 발소리가 나는가 싶더니 문이 열리고 마메트가 나타났다. 예쁜 리본 달린 모자에 갈색 원피스, 옛 풍습에 따라 예의를 갖추기 위해 수놓은 손수건까지 들고 나온 자그마한 키의 할머니, 누가 그보다 더 아름다울 수 있을까! 무엇보다 감동적인 것은 두 노인이 아주 닮았다는 점이다. 노란 리본이 달린 모자만 씌워주면 할아버지를 마메트라고

해도 손색이 없을 것 같았다. 다만 할머니가 평생에 흘린 눈물이 더 많았는지 남편보다 주름이 더 자글자글했다. 할아버지처럼 할머니 곁에도 파란색 고아원생 차림의 소녀가 붙어 다녔다. 이렇듯 고아원생들의 보호를 받는 노인들, 이 감동적인 장면을 보고 어떻게 눈시울이 뜨거워지지 않을 수 있겠는가.

할머니가 들어서면서 예의를 차리느라 장황한 인사말을

늘어놓기 시작하자, 할아버지가 그 말을 잘랐다.

"모리스의 친구라는구려."

그 말이 떨어지자마자 눈물을 줄줄 흘리는 할머니는 파르르 떨다가 손수건을 떨어뜨리고는 민망해서 얼굴이 빨개졌다. 할아버지보다도 더 홍당무가 되어버린 할머니. 가여운 노인들! 얼마나 손자를 보고 싶었으면! 기력이라곤 없어 보이건만 감격에 겨운 그들의 얼굴에 힘이 솟는 것인가……

"얼른 의자를 갖다 드려야지." 할머니가 계집아이에게 말했다.

"가서 덧문을 열어라." 할아버지도 곁에 있는 계집아이에게 말했다.

그러고는 두 노인이 내 손을 하나씩 잡고서 나를 잘 보기 위해 활짝 열어놓은 창가로 데려갔다. 두 노인이 안락의자에 앉고, 내가 그 사이에 놓인 접의자에 앉고, 파란색 제복의 소녀들이 우리 뒤에 자리를 잡고 서자, 드디어 질문이 시작되었다.

"그 아이는 어떻게 지내요? 어떻게 하고 사는지? 그 아이는 왜 오지 않았지요? 잘 지내고 있지요?"

이러쿵! 저러쿵! 그렇게 시간이 흘렀다.

노인들의 질문에 성의껏 대답하면서 나는 친구에 대해 알고 있는 것들을 자세히 알려주었고, 심지어는 알지도 못하는 것들을 지어내기까지 했다. 창문은 잘 닫히는지, 벽지 색깔은 무엇인지 등 한번도 주의 깊게 본 적이 없었다는 말을 나는 차마 하지 못했다.

"아! 벽지 색깔이요? 꽃무늬가 있는 밝은 파란색입니다."

"정말?" 눈물을 글썽이는 할머니는 남편을 돌아보며 덧붙였다.

"정말 착한 아이예요!"

"암, 착한 아이고말고!" 할아버지는 신이 나서 재차 말했다.

내가 말하는 동안 두 노인은 내내 알고 있다는 듯한 미소를 지으며 고개를 끄덕이거나 눈을 반짝였다. 그러다 할아버지가 이렇게 말했다.

"좀 크게 말해주게. 할멈이 귀가 좀 어두워서."

그러면 이에 질세라 할머니도 말했다.

"좀더 크게 말해주구려! 이 양반이 잘 들질 못한다우……."

그래서 나는 목소리를 높였고, 두 노인은 미소로 고마움을 표시했다. 내 눈에서 손자 모리스의 모습을 찾으려고 애쓰는 그 지친 미소에서 나는 나대로 아주 멀리 안개 속에서 내게 미소를 보내는 친구의 모습이 아주 희미하게나마 어렴풋이 보이는 것 같아서 가슴이 뭉클했다.

갑자기 할아버지가 안락의자에서 일어났다.

"이런, 내 정신 좀 보게. 여보, 아직 점심도 들지 못했을 텐데!"

그러자 할머니는 어쩔 줄 몰라하면서 두 팔을 쳐들었다.

"이런, 아직까지 점심을 들지 않았으면 얼마나 시장할까! 이걸 어쩌나!"

나는 이 말도 모리스에게 하는 말이라고 생각하고 그 착한 아이는 점심시간을 훌쩍 넘겨서 식사하는 일은 절대 없다고 대답할 참이었다. 하지만 아니었다. 그건 내게 하는 말이었다. 내가 아직 아무것도 먹지 않았다고 말했을 때 한바탕 소동이 일었다.

"얘들아, 어서 상을 차리자. 식탁은 복판에 놓고, 식탁보를 깔고 꽃무늬 접시를 준비해라. 이렇게 웃고 있을 때가 아냐. 자, 어서 서두르자."

나는 할머니와 아이들이 굉장히 서둘렀다고 생각한다. 눈 깜짝할 사이에 점심이 차려졌다.

"조촐하지만 어서 들어요!" 할머니가 나를 식탁으로 데려가면서 말했다. "그런데 혼자 들어야겠군요. 우리는 아까 아침에 먹었다우."

몇 시에 대접을 하게 되더라도 자기들은 아침에 먹었다고 말했을 가여운 노인들!

마메트 할머니가 조촐하다고 말하는 식사는 약간의 우유, 서양대추와 바게트, 비스킷이었다. 할머니와 카나리아들이 최소한 일주일은 먹을 만한 양이었을 텐데…….

그런데 나 혼자서 그 비축 식량을 다 해치워버렸으니! 그런 나를 보면서 식탁 주위에서 얼마나 분개했을까! 파란색 옷의 계집아이들은 팔꿈치로 쿡쿡 찌르면서 소곤거렸고, 새장 안에서는 카나리아들이 이렇게 말하는 것 같았다. "아! 저 사람이 바게트를 다 먹어버리고 있어."

나는 깨끗이 먹어치웠고, 어느덧 고풍스런 분위기가 흐르는 고요하고 평온한 방안을 둘러보는 데 정신이 빠져 있었다. 무엇보다도 두 개의 작은 침대에서 눈을 뗄 수 없었다. 어린애 요람처럼 생긴 작은 침대, 술 달린 커튼이 드리워진 침대에 누워 있는 두 노인의 모습을 상상해보았다. 새벽 3시 종소리, 노인들이 일어나는 시간이다.

"여보, 자오?"

"아뇨."

"모리스는 착한 아이지?"

"그럼요, 착한 아이죠."

나는 그 작은 침대를 보는 것만으로도 그렇게 노부부가 나누었을 대화가 선하게 그려졌다.

내가 그렇게 공상에 빠져 있는 사이에 찬장 앞에서 놀라운 일이 벌어지고 있었다. 맨 위칸에서 10년 동안 모리스를 기다리고 있던 술, 나를 위해 브랜디에 담근 버찌 술병을 따려는 것이었다. 할머니의 만류에도 불구하고 할아버지는 버찌 술을 내리겠다고 고집을 피우면서 의자에 올라서서 있는 힘을 다해 손을 위로 뻗고 있었다. 부들부들 떨면서 몸을 추켜올리는 할아버지, 할아버지가 올라선 의자를 붙잡아주고 있는 계집아이들, 조마조마한 얼굴로 지켜보는 할머니, 열린 찬장과 차곡차곡 쌓인 붉은 냅킨들에서 풍기는 은은한 베르

가모트 향기……. 얼마나 아름다운 정경인가.

마침내 온갖 노력 끝에 찬장에서 버찌 술, 그리고 모리스가 어릴 적에 쓰던 우그러진 낡은 은잔을 꺼내기에 이르렀다. 모리스가 그토록 좋아했다는 버찌 술을 철철 넘치게 따라주면서 할아버지는 내 귀에 대고 속삭였다.

"이걸 먹을 수 있게 된 것을 큰 행운으로 알게! 할멈이 직접 담근 것인데…… 얼마나 맛있는지 맛을 좀 보게나."

할머니가 담갔다더니 설탕 넣는 것을 잊으셨던가 보다. 나이가 들면 건망증이 생기기 마련이지 않은가. 할머니의 버찌 술은 끔찍한 맛이었지만, 나는 눈썹 하나 까딱하지 않고 한 방울도 남기지 않고 다 마셨다.

식사를 끝낸 나는 일어나서 작별인사를 했다. 노인들은 손자에 대한 얘기를 하려고 나를 조금 더 붙들어두고 싶어했지만, 날이 저물고 있는 데다 갈 길이 멀기 때문에 떠나야

했다.

할아버지는 나와 동시에 일어났다.

"여보, 내 옷 좀 줘요. 광장까지 배웅해주고 오리다."

할머니는 속으로 광장까지 나를 배웅하기에는 날씨가 차다고 생각하고 있었지만 아무런 내색도 하지 않았다. 다만 자개단추 달린 에스파냐 담배색의 멋진 양복 저고리의 옷소매에 팔을 꿰는 남편을 거들면서 할머니가 속삭이는 소리가 들렸다.

"너무 늦지 않을 거죠?"

그러자 할아버지는 짓궂게 대꾸했다.

"어험! 글쎄, 그건 나가 봐야 알지……."

그리고 나서 노부부가 마주보고 웃자, 계집아이들도 따라 웃었다. 그리고 카나리아들도 그들의 방식대로 웃었다. 우리끼리 하는 얘기지만, 나는 버찌 술 냄새에 그들 모두 약간 취한 것이라고 생각했다.

할아버지와 내가 밖으로 나왔을 때는 땅거미가 지고 있었다. 파란색 옷의 계집아이가 멀찍이 떨어져서 우리를 따라

오고 있었다. 할아버지를 모시고 돌아가기 위해서였다. 하지만 할아버지는 소녀가 따라오는 걸 모르고 있었다. 할아버지는 내 팔을 잡고 사나이처럼 걸을 수 있다는 걸 몹시 뿌듯해하고 있었다. 문 앞에 선 마메트 할머니는 밝은 얼굴로 우리를 바라보면서 고개를 끄덕이고 있었는데 이렇게 말하는 듯했다.

"역시 내 남편이야. 아직 저렇게 거뜬하게 걸어가는 것 좀 봐."

들판의 군수
Le sous-préfet aux champs

시찰을 나온 군수님. 앞에서는 마부가, 뒤에서는 보좌관이 보필하는 관용 사륜마차가 군수님을 태우고 위엄을 부리며 농사 공진회가 열리는 '선녀 골짜기'로 향하고 있었다. 이 기념할 만한 날을 위해 군수님은 화려한 정장 상의에 딱 붙는 은빛 줄무늬 바지를 멋지게 차려입고, 중산모에 자개 손잡이가 달린 검까지 차고 있었다. 그런데 군수님은 무릎 위에 놓인 오톨도톨한 바둑무늬 가죽가방을 우울한 얼굴로 쳐다보고 있었다.

군수님은 커다란 가죽가방을 시무룩하게 쳐다보면서 잠시 후 '선녀 골짜기'의 주민들 앞에서 해야 할 연설을 생각하고 있었다.

　'내빈 및 친애하는 군민 여러분······.'

　하지만 그 비단결 같은 금빛 구레나룻을 아무리 비비꼬면서 '내빈 및 친애하는 군민 여러분'을 스무 번이나 되풀이해도 그 다음에 해야 할 말이 도무지 떠오르지 않았다.

　마차 안은 또 왜 그렇게 더운지! '선녀 골짜기'로 가는 길은 정오의 땡볕 속에서 먼지가 뿌옇게 일고 있었다. 공기는 후텁지근했고, 길가의 어린 느릅나무들은 하얀 먼지를 뒤집어쓰고 있었고, 이 나무 저 나무에서 서로 화답하는 수천 마리의 매미들······. 갑자기 군수님은 몸서리를 쳤다. 저 아래 언덕 자락에 보이는 떡갈나무 숲이 자신에게 손짓하는 것 같았던 것이다.

　'이쪽으로 오세요, 군수님. 연설문을 작성하려면 우리의 그늘 밑이 최고라니까요.'

　마음이 끌린 군수님은 마차에서 훌쩍 뛰어내리고는 보좌관에게 떡갈나무 숲에서 연설문을 작성하고 돌아올 테니 기다리고 있으라고 말했다.

떡갈나무 숲에는 새들이 지저귀고, 제비꽃이 만발해 있고, 수풀 속으로 샘물이 졸졸 흐르고 있었다. 멋진 바지에 오톨도톨한 바둑무늬 가죽가방을 든 군수님을 발견한 새들은 겁을 집어먹고 노래를 그쳤고, 샘물은 숨을 죽였고, 제비꽃도 수풀 속으로 숨어버렸다. 군수를 본 적이 없는 이 작은 숲의 세계에서는 모두들 은빛 바지를 입고 산책하는 이 멋진 신사가 누굴까 나직한 소리로 소곤거렸다.

그렇게 숲의 식구들이 소곤거리는 사이에 그 고요와 시원한 숲에 홀린 군수님은 상의 자락을 걷어올리고 중산모를 수풀 위에 내려놓은 다음, 어린 떡갈나무 아래 포근한 풀밭에 앉았다. 그러고는 무릎 위의 가죽가방을 열고 백지를 꺼냈다.

"예술가다!" 꾀꼬리가 말했다.

"아냐. 예술가는 아냐. 은빛 바지를 입고 있는 걸 보면 왕자님일 거야." 피리새가 말했다.

"예술가도 왕자님도 아냐." 군청의 정원에서 한 계절 내내 노래를 불렀던 나이팅게일이 끼여들었다. "난 누군지 알아. 저 사람이 바로 군수님이야."

그러자 숲 전체에 소곤거림이 퍼져나갔다.

"저 사람이 군수님이래! 군수님이래!"

"대머리잖아!" 도가머리 종달새가 종알거렸다.

제비꽃들이 물었다.

"나쁜 사람이야?"

"나쁜 사람이냐고?" 제비꽃들이 재차 물었다.

나이 든 나이팅게일이 대답했다.

"천만에!"

이 말에 안심한 새들이 다시 노래를 부르기 시작하자 샘물이 졸졸 소리를 냈고, 제비꽃들도 향기를 내뿜었다. 마치 멋진 신사가 거기 없는 듯이……. 한바탕의 소동에 아랑곳없이 마음속으로 농사 공진회의 연설문을 구상하고 있는 군수님은 연필을 들고 의례적인 목소리로 읊기 시작했다.

"내빈 및 친애하는 군민 여러분……."

"내빈 및 친애하는 군민 여러분", 하고 군수는 의례적인 목소리로 읊었다.

깔깔대는 웃음소리에 놀란 군수가 뒤돌아보았지만 자신의 모자 위에 올라앉아서 빙긋이 웃으며 말똥말똥 쳐다보는 청딱따구리 한 마리밖에 보이지 않았다. 군수는 어깨를 으쓱하면서 연설을 계속하려고 했다. 하지만 청딱따구리가 또 방해를 하면서 멀리서 소리쳤다.

"그래 봤자 소용없어요."

"뭐라고? 소용없다고?" 얼굴이 새빨개진 군수는 그 유들유들한 새를 쫓아버리고는 더 큰 소리로 다시 시작했다.

"내빈 및 친애하는 군민 여러분……."

"내빈 및 친애하는 군민 여러분……." 군수는 더 큰 소리로 되뇌었다.

하지만 그 순간 군수를 향해 줄기를 세운 제비꽃들이 부드럽게 말했다.

"군수님, 우리가 풍기는 향기가 느껴지지 않아요?"

그러자 샘물도 수풀 밑에서 멋진 음악을 연주했고, 그의 머리 위 나뭇가지들 속에서도 꾀꼬리가 떼를 지어 날아와서 멋들어진 노래를 한 곡조 뽑았다. 작은 숲 전체가 결탁해서 연설문을 작성하지 못하게 방해하고 있었다. 작은 숲 전체가 결탁해서 군수가 연설문을 작성하지 못하게 방해하다니!

140

꽃향기에 취하고, 음악에 취한 군수님은 자신을 사로잡는 신선한 매혹을 물리치려고 무진 애를 썼지만 수포로 돌아갔다. 군수는 그 멋진 옷의 단추를 끄르고, 풀밭에 벌렁 누워 팔꿈치를 괴고서 두세 번 더 중얼거려보았다.

"내빈 및 친애하는 군민 여러분……. 내빈 및 친애하는 군민……. 내빈 및 친애하는 군민……."

이윽고 군수는 친애하는 군민을 위해 하려던 연설을 단념했다. 그쯤 됐으니 농사 공진회에는 얼굴을 내밀지 않으면 되는 것 아닌가.

한 시간이 지나도 군수가 돌아오지 않자 걱정이 되어 숲속으로 들어온 보좌관과 마부는 눈앞의 광경을 보고 기절초풍했다. 방탕아 같은 모습으로 풀밭에 배를 깔고 누워 있는 군수님. 옷을 벗어 던진 군수님은 제비꽃을 질근질근 씹으면서 시를 짓고 있었다.

시인 *Le poète Mistral*
미스트랄

지난 일요일, 눈을 뜬 순간 나는 포부르 몽마르트르 거리의 집에서 잠을 깬 느낌이 들었다. 잔뜩 찌푸린 하늘에서 비가 추적추적 내리고, 방앗간은 을씨년스러웠다. 이렇게 비가 내리고 추운 날, 휑뎅그렁한 집에서 혼자 우두커니 지낼 걸 생각하니 심란하기 짝이 없던 차에 문득 나의 솔숲에서 12킬로미터 떨어진 마얀 마을에 사는 위대한 시인 프레데릭 미스트랄을 찾아가서 잠시 놀다가 오고 싶어졌다.

생각을 하자마자 떠날 채비! 은매화나무로 깎은 지팡이와 애독하는 몽테뉴의 책 한 권, 비 가릴 담요 한 장을 챙겨들고 길을 나섰다.

인적이라곤 없는 들판……. 유서 깊은 가톨릭 지방 프로방스에서는 일요일마다 땅을 쉬게 한다. 개들만 집을 지키고 있을 뿐 농가는 문이 닫혀 있다. 이따금 빗물을 줄줄 떨어뜨리며 지나가는 방수포 씌운 짐마차, 낙엽 빛깔의 외투에 달린 모자를 뒤집어쓴 할머니, 안장 밑에 씌운 파랗고 하얀 모포, 빨간 술 장식에 은방울까지 달아 잔뜩 멋을 부리고는, 미사를 드리러 가는 농가 사람들을 태운 마차를 졸랑졸랑 끌고 가는 노새들. 안개 너머 저편에 어렴풋이 보이는 한 척의 배와 거기 서서 투망을 던지는 낚시꾼…….

이날은 길을 가면서 책을 읽을 수 없었다. 비는 억수같이 쏟아지는 데다 북풍이 양동이째로 물을 끼얹듯 얼굴에 비를 퍼붓고 있어서 나는 걸음을 재촉했다. 마침내 3시간을 걸은 끝에 삼나무 숲이 나타났다. 마얀 마을은 바로 그 숲 속에 숨어 무서운 바람을 피하고 있다.

거리에는 고양이 한 마리 얼씬거리지 않았다. 모두들 성당에서 미사를 드리고 있는 것이다. 성당 앞을 지날 때 스테인드글라스 너머에서 반짝이는 촛불이 보였다.

　시인의 집은 그 마을의 끝자락, 생 레미로 가는 도로 왼쪽의 마지막 집이었다. 앞에 뜰이 있는 아담한 2층집……. 나는 조용히 들어갔다. 아무도 없었다. 응접실 문은 닫혀 있지만 뒤에서 발소리와 큰 소리로 말하는 소리가 들렸다. 귀에 익은 발소리와 음성……. 나는 설레는 가슴으로 회칠한 복도에 잠시 멈춰 서서 방문 손잡이에 손을 올렸다. 가슴이 두근거렸다. 시인이 안에 있다. 시를 짓고 있는 것이다. 시 작업이 끝나길 기다려야 할까? 그래도 하는 수 없다. 들어가자.

파리 시민들이여! 마얀의 시인이 『미레유』를 선보이려고 파리에 상경했을 때, 빳빳이 세운 깃에 그 영예 못지않게 거추장스런 커다란 모자를 쓴 도시 옷차림의 그 아메리칸 인디언 같은 사람을 보고 여러분은 미스트랄이라고 믿었다. 하지만 그건 미스트랄의 모습이 아니었다. 이 세상에 프레데릭 미스트랄은 단 한 사람이다. 지난 일요일에 내가 불쑥 찾아가서 만났던 사람, 펠트 모자를 푹 눌러쓰고, 조끼가 없는 재킷 차림에 카탈루냐 특산 빨간 털실 허리띠를 두른 사람, 번뜩이는 눈, 영감으로 화끈 달아오른 광대뼈, 그리스 목자처럼 품위있고 푸근한 미소를 지으며 호주머니에 두 손을 찔러넣은 채 시를 짓고 있던 사람, 바로 그 사람이야말로 미스트랄이다.

"아니, 이게 누구야?" 미스트랄이 나를 반기며 얼싸안았다. "오늘이 바로 마얀의 축제일인데 마침 잘 왔네! 아비뇽의 음악, 투우, 종교의식 행렬, 파랑돌, 굉장할 거야. 어머니가 미사에서 돌아오시면 점심을 들고 나가세. 예쁜 처녀들의 춤을 구경하러 가자고."

시인이 말하는 동안, 나는 꽤 오래 전에 몇 시간을 머문 적은 있지만 그 뒤로는 한동안 와보지 못했던 밝은 색 태피스트리가 걸린 방을 둘러보면서 감회에 젖었다. 하나도 변한게 없었다. 노란 체크무늬 긴 의자, 밀짚의자 두 개, 벽난로선반 위에 놓인 팔 없는 비너스상과 아를의 비너스상, 에베르가 그린 시인의 초상화, 에티엔 카르자가 찍은 사진, 창가 한쪽 구석에 놓인 책상—등기소 접수계 책상처럼 허름한—에 잔뜩 쌓인 낡은 책들과 사전들, 모두 한결같았다. 그 책상한가운데에 펼쳐져 있는 두툼한 노트……. 그건 올해 크리스마스에 프레데릭 미스트랄이 발표할 예정인 신작 시 『칼랑달』이었다. 미스트랄은 이 시를 위해 7년이란 세월을 바쳤고, 거의 반년에 걸쳐서 마지막 시구를 썼건만 아직도 붙잡고 있었다. 다듬어야 할 구절, 맞춰야 할 운이 항상 있기마련 아닌가! 우직하리만큼 프로방스어로 시를 쓰는 미스트랄, 마치 시인의 노고를 존중해주는 뜻에서라도 모든 사람이프로방스어로 쓰인 시를 읽어야 한다는 듯이. 아! 훌륭한 시인! 몽테뉴라면 아마 미스트랄을 두고 이렇게 말하고도 남았

으리라. "알아주지도 않는 예술을 위해 무엇 때문에 그렇게 고생을 하냐고 물었을 때, 이렇게 대답하는 사람을 기억하시라. '알아주는 사람이 많지 않아도 좋다. 한 사람이라도 좋다. 아니, 한 사람도 없어도 좋다.'"

나는 장편 서사시 『칼랑달』 노트를 손에 들고, 벅찬 가슴으로 한 장 한 장 넘기고 있었다. 갑자기 창문 앞에서 둥둥 울리는 북소리와 피리소리. 그러자 찬장으로 달려가 술병과 술잔들을 꺼내온 미스트랄이 응접실 탁자에 죽 늘어놓았다. 그러고는 문을 열어주러 나가면서 이렇게 말했다.

"웃지 말게, 내게 경의를 표하려고 음악을 연주해주러 온 사람들이야. 내가 그래도 명색이 시의원이거든."

작은 방이 사람들로 가득 찼다. 그들은 북을 의자 위에 내려놓고, 낡은 깃발을 한쪽 구석에 세워놓고 그 지방 특주를 차례로 돌렸다. 프레데릭의 건강을 위한 축배의 잔을 비우고 난 사람들은 올해는 파랑돌 춤이 작년보다 신명날지, 멋진 투우 경기가 벌어질지 등 축제 행사에 대해 이런저런 애기를 진지하게 나눈 뒤에 다른 의원들에게 경의를 표하기 위해 물러갔다. 그 순간 미스트랄의 어머니가 돌아오셨다.

얼마나 손놀림이 빠른지 눈 깜짝할 사이에 식탁이 차려졌다. 하얀 식탁보 위에 놓인 두 벌의 식기 세트. 나는 그 집의 관습을 잘 알고 있다. 아들의 손님이 와 있을 때 어머니는 식탁에 앉지 않는다는 것을…… 노부인은 프로방스어만 알고 있어서 타지 사람들과 어울려 얘기하는 걸 불편해했다. 또 아무도 없어서 어머니가 손수 음식을 만들어야 하는 이유도 있었지만.

이날 아침 식사는 얼마나 근사했던지! 염소고기 구이, 시골 치즈, 포도잼, 무화과, 사향 포도. 그리고 곁들여 마시는 그 고운 장밋빛 포도주 '교황의 샤토뇌프'…….

디저트를 먹을 때, 나는 노트를 들고 와서 시인 앞에 내려놓았다.

"바로 나가자니까." 시인이 빙긋이 웃으면서 말했다.

"아니! 아니! 『칼랑달』을 낭송해주게! 『칼랑달』을 낭송해달라고!"

나의 끈질긴 간청에 미스트랄은 하는 수 없이 손장단으로 운율까지 맞추면서 그 멋진 부드러운 음성으로 제1편을 낭송하기 시작했다.

사랑에 빠진 처녀의
슬픈 이야기를 이제야 말한다,
일이 잘되면 카시의 아들을 노래하련다.
불쌍한 멸치잡이 어부…….

밖에서는 저녁기도 종소리가 울리고 있었고, 광장에서는 폭죽이 터지고, 북소리에 맞춘 피리소리가 이 거리에서 저 거리로 퍼져나갔다. 투우장으로 몰려가는 카마르그 지방 황소들의 으르렁거리는 울음소리.

나는 식탁에 팔꿈치를 괸 채 눈물을 글썽이면서 프로방스 어부의 슬픈 사연을 듣고 있었다.

칼랑달은 한낱 어부에 지나지 않았지만 사랑은 그를 주인공으로 만들었다. 사랑하는 여자—아름다운 에스테렐—의 마음을 얻기 위해 칼랑달은 여러 가지 기적을 이뤄낸다. 그가 치른 시련은 헤라클레스의 열두 가지 시련이 무색할 지경이었다.

부자가 되기로 결심한 칼랑달은 놀랍게도 고기 잡는 도구를 발명해서 바다의 물고기란 물고기는 모두 항구로 몰려오게 한 적이 있었다. 또 잔악한 산적두목 세베랑 백작을 붙잡아서 부하들과 첩들이 있는 소굴 올리울 협곡으로 몰아낸 적도 있었다. 얼마나 혈기왕성한 청년인가! 어느 날, 생트봄에서 솔로몬 신전의 골조를 세운 프로방스 출신의 스승 자크의 무덤 앞에서 죽일 듯이 싸우는 제자 두 명을 만난 적이 있었다. 그 싸움을 해결하기 위해서 험악한 싸움에 뛰어든 칼랑달은 대화로 풀어가면서 두 사람을 진정시킨 적도 있었다.

초인적인 행적들도 있었으니! 뤼르 바위산에는 나무꾼도 감히 올라갈 용기를 내지 못하는 험난한 삼나무 숲이 있었다. 칼랑달은 그 위험천만한 숲으로 갔다. 그리고 한 달 동안이나 거기서 혼자 살았다. 그 한 달 동안 삼나무를 찍어대는 도끼 소리가 울렸다. 숲이 비명을 질러대고, 하나둘 쓰러진 거목들이 깊은 구렁으로 굴러내렸다. 칼랑달이 내려왔을 때 산에는 삼나무가 한 그루도 남아 있지 않았다.

그 수많은 위업에 대한 보상으로 멸치잡이 어부는 마침내 에스테렐의 사랑을 얻었고, 카시의 주민들로부터 행정관으로 임명되었다. 이상이 칼랑달의 이야기다. 하지만 칼랑달이야 아무려면 어떠랴! 무엇보다 중요한 것은 미스트랄의 시에는 고인이 되기 전에 고향의 위대한 시인을 찾아낸 순박하고 자유로운 시민들, 역사와 풍습과 전설과 풍경과 어우러진 프로방스—바다의 프로방스, 산의 프로방스—가 살아 있다는 사실이다. 이제는 철로를 놓는다고, 전봇대를 세운다고, 학교에서는 프로방스어 추방 운동을 벌인다고 시끌시끌한 프로방스! 하지만 프레데릭 미스트랄의 『미레유』와 『칼랑달』에서 프로방스는 영원히 살아남을 것이다.

"이제 시 낭송은 그만두세." 미스트랄이 노트를 덮으면서 말했다. "나가서 축제 구경을 해야지."

우리는 밖으로 나갔다. 온 마을 사람들이 거리에 나와 있었다. 한차례 휘몰아친 비바람이 하늘을 말끔히 씻어놓은 뒤였다. 빗물에 젖은 붉은 지붕 위로 청명하게 빛나는 하늘. 우리는 제때에 도착해서 종교의식 행렬을 구경할 수 있었다. 복면을 쓴 속죄인들, 흰옷의 속죄인들, 파란 옷의 속죄인들, 회색 옷의 속죄인들, 베일을 드리운 신심회 처녀들, 금빛 꽃무늬가 있는 장밋빛 단기들, 네 사람이 어깨로 받쳐든 금칠 벗겨진 나무 성인상들, 우상처럼 손에 꽃다발을 든 채색 도기 성녀상들, 성직자들의 법의, 성체현시대, 초록 벨벳을 씌운 닫집, 하얀 실크를 드리운 십자고상, 이 행렬은 양초 불빛과 햇빛 속에서, 그리고 성가와 연도가 울려퍼지는 가운데 바람에 물결치듯 한 시간 동안이나 끝없이 이어졌다. 그리고 종소리가 일제히 울렸다.

행렬이 끝나고, 성상들이 성당에 안치되는 걸 본 뒤에 우리는 투우를 보러 갔고, 이어서 마당놀이, 줄다리기, 삼단뛰기, 술래잡기, 가죽부대놀이 등 프로방스 축제의 온갖 전통 민속놀이를 구경했다. 어둑어둑해졌을 때 우리는 마얀으로

154

돌아갔다. 미스트랄이 저녁마다 친구 지도르와 모임을 갖는 광장의 작은 카페 앞에 기쁨의 모닥불이 피워져 있었다. 파랑돌 춤이 시작되려 하고 있었다. 어둠 속 곳곳에 종이초롱들이 불을 밝히고 있었다. 젊은이들이 춤출 채비를 하고 있었다. 이윽고 북소리를 신호로 모닥불 주위에서 밤새도록 신명나게 계속될 원무가 시작되었다.

저녁을 먹은 후, 너무 녹초가 되어 더 이상 쫓아다닐 수 없게 된 우리는 시인의 침실로 올라갔다. 큰 침대 두 개가 덩그러니 놓인 수수한 시골 침실. 벽지도 바르지 않고, 천장 들보가 그대로 드러나 보이는 방. 4년 전 아카데미 프랑세즈가 『미레유』에 대한 상금으로 프레데릭 미스트랄에게 3천 프랑을 주었을 때, 그의 어머니는 아들에게 제안했다.

"네 침실의 벽과 천장을 다시 바르는 게 어떻겠니?"

"그건 안 됩니다. 이 돈은 시인들의 돈이니까 건드리면 안 됩니다."

그래서 미스트랄의 침실은 조금도 달라지지 않았다. 하지만 시인들의 돈이 남아 있는 동안 미스트랄의 집을 찾아왔던

이들은 돈주머니가 항상 열려 있다는 걸 알았다.

　나는 침실에 『칼랑달』 노트를 가져갔고, 잠들기 전에 한 편을 더 읽고 싶었다. 미스트랄이 도기에 얽힌 일화를 골라주었는데, 그 이야기를 간략하게 줄이면 다음과 같다.

　어딘지 모르는 곳에서 있었던 향연. 그 유명한 무스티에 도기그릇 한 벌이 식탁에 놓여 있었다. 접시 바닥에 그려진 파란색 칠보 그림, 프로방스를 주제로 한 그림 속에 역사가

담겨 있었다. 어떤 사랑이 묘사되어 있는 아름다운 도기그릇
도 있었다. 접시마다 한 구절씩, 그렇게 해서 테오크리토스
*(기원전 3세기 전반 그리스의 목가시인_역주)의 전원시처럼
완성된 순수하고 숙련된 단시.

  옛날에는 왕비들이 사용했지만, 지금은 목자들이나 이해하
는, 태반이 라틴어로 이뤄진 아름다운 프로방스 언어로 미스
트랄이 시를 낭송하는 동안 나는 마음속으로 감탄을 금치 못

했다. 그리고 이제는 쓰이지 않는 사어가 되었는데도 모국어로 생각하는 프로방스어를 살리려고 애쓰는 미스트랄의 노력을 생각하면서 난 알피유 바위산에서 볼 수 있는, 그 옛날 영화를 누리던 보 왕가의 오래된 궁전을 떠올렸다. 온데간데없는 지붕이며 층계 난간, 창문 유리, 홍예문의 부서진 클로버 장식이며 이끼로 뒤덮인 왕가의 문장紋章, 앞뜰에서 모이를 쪼아먹는 암탉들, 회랑 기둥 밑에서 뒹구는 돼지들, 예배당 안에 무성하게 자란 풀을 뜯어먹는 당나귀, 빗물이 고인 성수반에 물 마시러 오는 비둘기들, 폐허가 된 궁전 측면에 옹기종기 오두막을 세우고 사는 두세 가구의 농부들.

그러던 어느 날 급기야 그 농부들의 아들은 궁전을 그토록 욕되게 내버려둔 것에 분통을 터뜨리며 앞뜰에서 짐승을 몰아내고, 요정들의 도움에 힘입었는지 혼자서 층계를 다시 만들고, 벽에 판자를 붙이고, 창문에 유리를 끼우고, 탑들을 다시 세우고, 옥좌가 있는 방에 금칠을 하고, 교황들과 황후들이 살던 그 옛날의 웅장한 궁전을 부흥하기에 이른다.

재건된 궁전, 그건 바로 프로방스어요,

농부의 아들, 그는 바로 미스트랄이다.

세 번의

독송미사

Les trois messes basses

크리스마스 이야기

1

"알버섯을 넣은 칠면조가 두 마리라고 했느냐, 가리구?"

"네, 신부님. 알버섯을 잔뜩 집어넣은 칠면조가 두 마리예요. 알버섯을 넣는 걸 거들었는데 제가 모르겠어요? 어찌나 빵빵하게 넣었던지 구울 때는 칠면조 가죽이 꼭 터지는 줄 알았다니까요."

"이걸 어쩌나! 내가 알버섯을 얼마나 좋아하는데! 어서 내 중백의를 다오, 가리구. 그리고 부엌에서 칠면조말고 또 뭘 보았느냐?"

"별의별 게 다 있었어요. 정오부터 꿩이며 오디새, 살찐 암평아리, 멧닭의 털을 뽑느라고 눈코 뜰 새가 없었어요. 온 사

방에 깃털이 날아다녔다니까요. 거기다 또 못에서 뱀장어,
황금잉어, 송어도 잡아왔어요."

"송어는 얼마나 크더냐, 가리구?"

"이만하게 컸어요, 신부님. 아주 엄청나게 컸어요!"

"오! 맙소사! 눈에 선하구나. 포도주 병은 채워놨니?"

"네, 신부님. 채워놨어요. 그런데요! 이따가 자정미사를 끝
내신 후에 신부님이 마실 포도주에 비하면 정말 아무것도 아
니죠, 뭐. 성의 식탁에 차려놓은, 온갖 빛깔의 포도주가 담긴
그 번쩍번쩍하는 술병들을 보셨다면! 그리고 은접시들, 조각
품들, 꽃, 커다란 촛대들······. 그런 크리스마스 이브 밤참은
어디서도 보지 못할 거예요. 후작님이 이웃마을의 영주님들
을 모두 초대하셨어요. 대법관님과 공증인 외에도 족히 사
십 명은 모일 거예요. 신부님은 그 중 한 분이시니 정말 행복
하시겠어요! 칠면조 요리 냄새만 맡았을 뿐인데도 알버섯 냄
새가 이렇게 계속 저를 따라다니는데······. 음! 이 냄새!"

"자, 이제 그만. 음식을 탐하는 죄는 삼가해야지. 특히 크
리스마스 이브에는······. 어서 가서 양초에 불을 밝히고, 미

사를 알리는 종을 쳐라. 자정이 가까워오는데 늦으면 큰일이야."

이 대화는 서기 1600년 크리스마스 이브, 예전에는 성 바오로회 사제였다가 현재는 트랭켈라즈 영주들의 전속사제인 발라게르 신부와 복사 가리구, 아니 신부가 자신의 복사 가리구라고 믿고 있는 사람이 주고받는 내용이다. 이날 밤의 가리구는 신부를 유혹해서 식탐의 죄를 짓게 하려고 어린 복사의 동그랗고 두루뭉실한 얼굴로 나타난 악마였던 것이다. 그리하여 자칭 가리구가 성내의 예배당 종을 힘껏 울리고 있는 동안에 신부는 제의실에서 법의를 입고 있었다. 자꾸만 눈에 어리는 요리 때문에 정신이 뒤숭숭한 신부는 법의를 입으면서도 입 속으로는 이렇게 되뇌고 있었다.

"칠면조 구이…… 황금잉어…… 이만하게 큰 송어!"

밖에서는 밤바람에 종소리가 흐트러지고 있었고, 우뚝 선 트랭켈라즈 성의 오래된 탑 아래 방투 산허리에 드리워진 어둠 속에서 불빛이 하나둘 보이고 있었다. 그건 성으로 자정 미사를 드리러 오는 소작인들의 불빛이었다. 그들은 대여섯

명씩 무리를 지어 노래를 부르면서 언덕길을 올라오고 있었
다. 초롱불을 들고 맨 앞에서 오는 아버지, 커다란 갈색 망토
를 걸친 아낙네들, 떨어질세라 꼭꼭 달라붙은 아이들. 추운
밤인데도 그들은 해마다 그랬던 것처럼 아래층 부엌에 그들
을 위해 차려진 음식이 있을 거란 생각에 추위를 견디며 경
쾌하게 걸어오고 있었다. 간간이 횃불잡이들을 앞세운 어떤
영주의 마차가 달빛을 받아 번쩍거리면서 가파른 오르막길

을 오르기도 했고, 노새가 방울을 흔들면서 졸랑졸랑 올라가기도 했다. 소작인들은 안개에 휩싸여 초롱불빛이 희미한데도 대법관을 알아보고 인사를 했다.

"안녕하세요? 아르노통 법관님!"

"안녕하시오? 여러분!"

맑은 밤하늘에 추위 때문에 더욱 반짝거리는 별들. 살을 에는 듯이 차가운 바람, 그리고 옷 위를 사르르 미끄러지듯 떨어지는 싸라기눈, 올해도 화이트 크리스마스의 전통이 지켜지고 있었다. 언덕 위의 성이 거대한 탑들이며 박공, 검푸른 하늘에 높이 솟은 종탑과 함께 표적처럼 나타났다. 그리고 시커먼 건물의 모든 창문에서 오락가락하면서 깜박이는 무수한 작은 불빛은 종이를 태운 재에서 날아다니는 불티 같았다. 예배당으로 가려면 도개교와 샛길을 거쳐서 마차들이며 하인들, 가마들로 북적이고, 횃불과 부엌의 불빛으로 대낮처럼 훤한 앞뜰을 가로질러야 했다. 삐걱삐걱 꼬치구이 돌리는 소리, 딸그락딸그락 식기 소리, 식사 준비를 하는 손놀림에 부딪히는 유리그릇과 은식기 소리. 거기에다 고기

굽는 구수한 냄새와 다양한 소스에 들어가는 향료용 야채 냄
새를 풍기며 피어오르는 따뜻한 김은 소작인들이든, 신부든,
대법관이든 신분의 고하를 막론하고 모든 사람에게 이런 생
각을 하게 만들었다.

'미사가 끝나면 기막히게 맛있는 밤참을 먹겠는걸!'

2

"뗑그렁 뗑! 뗑그렁 뗑!"

자정미사가 시작되었다. 반원이 교차하는 둥근 천장이며
벽과 같은 높이로 참나무 판자를 둘러친 것하며 축소판 성당
같은 성내 예배당에는 태피스트리들이 드리워져 있고, 양초
란 양초는 모두 불을 밝히고 있었다. 미사를 드리러 온 사람
들이 얼마나 많은지! 옷차림은 또 얼마나 각양각색인지! 성
가대석 주위의 성직자석에는 분홍빛 정장 차림을 한, 트랭켈
라즈 성의 후작과 초대를 받은 영주들이 나란히 앉아 있었

다. 맞은편 벨벳을 씌운 기도석에는 새빨간 수단 드레스 차림의 늙은 후작부인과 프랑스 궁정에서 최근 유행하는 물결무늬 레이스를 둘러서 머리를 높이 틀어올린 젊은 후작부인이 나란히 앉아 있었다. 그 아래쪽에는 검은 옷차림에 끝이 뾰족한 거대한 가발을 쓴 대법관 토마 아르노통과 공증인 앙브루아가 말끔히 면도한 얼굴로, 실크며 다마스 직물이며 화려하게 차려입은 사람들 속에서 엄숙하게 앉아 있었다. 그 다음은 뚱뚱한 집사들, 시종들, 조마사들, 감독관들, 온갖 열쇠가 주렁주렁 매달린 순은 열쇠고리를 옆구리에 찬 바르브 부인. 뒤쪽 긴 의자에는 하급 관리와 하인들, 가족을 데려온 소작인들, 맨 뒤에서는 음식을 준비하던 보조 요리사들이 미사를 구경하려고 슬쩍슬쩍 들락거리면서 훨훨 타는 촛불들의 열기로 훈훈한 예배당 안에 밤참 냄새를 풍겼다.

미사를 집전하는 신부의 정신을 산만하게 만든 것이 요리사들의 하얀 모자였을까? 아니, 그보다는 가리구가 울려대는 종소리가 아니었을까? 제단 발치에서 미친 듯이 빠르게 흔들어대는 그 종소리는 꼭 이렇게 말하는 듯했다.

'빨리 끝내세요. 빨리요……. 우리가 빨리 끝낼수록 식탁에 빨리 앉게 되잖아요.'

그 악마의 종소리가 울릴 때마다 신부는 미사는 안중에도 없고 오직 밤참 생각밖에 없었다. 분주하게 움직이는 요리사들, 불이 벌겋게 달아오른 화덕, 방긋이 열린 뚜껑에서 올라오는 김, 그 뿌연 김 속에 알버섯을 잔뜩 넣어 빵빵해진 칠면조 두 마리가 눈에 오락가락했다.

그뿐이랴, 김을 모락모락 피우며 군침이 절로 돌게 하는 요리를 들고 지나가는 시종들을 따라 향연이 준비된 식당으로 들어가는 자신의 모습이 눈에 선했다. 아, 얼마나 뿌듯한가! 그렇게 풍성한 진수성찬이 또 어디 있으랴! 화려한 깃털을 활짝 편 공작, 금갈색 날개를 펼친 꿩, 루비 빛깔의 포도주, 푸른 가지들과 어우러지게 피라미드처럼 쌓아올린 먹음직스런 과일들, 그리고 회향을 깔아놓고 그 위에 올려놓았다고 가리구가 얘기해준 생선들, 금방 물에서 건져온 듯 비늘에 윤기가 잘잘 흐르는 싱싱한 생선과 콧구멍을 간질이는 향기로운 채소 한 묶음. 이 모든 것들이 어쩌나 생생하게 눈에 어른거리는지 발라게르 신부에게는 그 기막힌 요리들이 바로 눈앞의 제단 위에 차려져 있는 것 같은 착각까지 들었다. 그래서 두세 번 "도미누스 보비스쿰!(주께서 너희와 함께 하시니라)" 하고 말하는 대신 자신도 모르게 '베네디시테(감사히 먹겠습니다)' 라고 말하는 걸 깨닫고 기겁했다. 이런 가벼운 실수를 제외하고는 한 줄도 빼먹지 않고, 무릎 꿇는 것도 빠뜨리는 일 없이 신부는 아주 성실하게 미사를 진행했다. 이렇게 해서 첫 번째 미사는 아주 순조롭게 끝났다. 그런데 크리스마스 자정미사는 같은 신부가 세 번의 미사를 연속해서 드려야 하지 않는가.

"휴, 첫 번째 미사는 끝났다!" 주임신부는 안도의 한숨을 내쉬면서 속으로 말했다. 그러고는 잠시도 지체하지 않고 자신의 복사, 아니 그가 자신의 복사라고 믿고 있는 사람에게 신호를 보냈다.

뗑그렁 뗑! 뗑그렁 뗑!

두 번째 미사가 시작되었고, 미사와 함께 발라게르 신부의 죄악도 시작되었다.

'빨리, 빨리 끝내세요.' 가리구의 종이 날카로운 소리로 외쳤다. 이번에는 식탐의 악마가 보내는 유혹에 넘어간 신부는 미사경본에 달려들어서 마치 게걸스럽게 먹어치우듯 페이지를 빠르게 넘겼다. 그러고는 앉았다 일어섰다 하면서 열렬하게 성호를 긋고 꿇어앉았는데, 가능한 한 빨리 끝내기 위해서 모든 동작을 짧게 줄여나갔다. 복음서에 팔을 뻗는가 싶더니 어느새 가슴을 치면서 고해의 기도를 드리는 신부. 복사와 신부는 누가 더 빨리 하는지 경쟁이라도 하듯 빠르게 읊조렸다. 성서 구절 낭독과 대답이 어찌나 빠르게 전개되는지 말이 뒤얽혔다. 시간이 좀 걸리는 긴 구절은 아예 입 속으로 웅얼거렸기 때문에 알아들을 수 없는 말로 끝이 났다.

"오레무스(빌지어다) 프스…… 프스…… 프스……."

"메아 쿨파(나의 죄)…… 파…… 파……."

통 속의 포도를 짓밟아 으깨는 사람들처럼 신부와 복사는 온 사방에 침까지 튀면서 라틴어로 쓰인 미사경본을 우물우물 내뱉었다.

170

"도미…… 스쿰!" 하고 신부가 읊조리면, "……스투투오!" 하고 복사 가리구가 화답했다. 그들의 귓가를 끊임없이 울려대는 그 망할 놈의 종은 전속력으로 달리게 하려고 역마차의 말들에게 달아매는 방울 같았다. 상황이 이런데 독송미사가 어찌 빠르게 진행되지 않을 수 있겠는가.

"이제 두 번째 미사도 끝냈어!" 주임신부가 숨을 헐떡이면서 말했다. 얼굴이 시뻘개져서 땀을 뻘뻘 흘리면서도 신부는 숨도 돌리지 않고 제단의 계단을 황급히 뛰어내렸다.

뗑그렁 뗑! 뗑그렁 뗑!

세 번째 미사가 시작되었다. 이제 조금만 참으면 식당으로 가는 것이다. 하지만 밤참시간이 가까워올수록 초조해진 발라게르 신부는 거의 제정신이 아니었다. 점점 더 눈에 선하게 어른거리는 황금잉어, 칠면조 구이. 손에 잡힐 듯 눈앞에 있는 음식들, 오! 하느님! 김이 모락모락 나는 요리들, 향기 그윽한 포도주…… 종이 미친 듯이 흔들리면서 소리쳤다.

"빨리, 빨리, 더 빨리!"

하지만 이 이상 더 어떻게 빨리 할 수 있단 말인가? 입술만

172

들썩거릴 뿐 신부의 입에서는 말이 나오지 않았다. 하느님을 완전히 속여서 미사를 적당히 넘어간다면 몰라도……. 그런데 그건 죄를 범하는 것이거늘! 하지만 점점 더 유혹에 빠진 신부는 미사경본 구절을 하나둘 빼먹기 시작했다. 그리고 길고 긴 사도서한은 끝까지 낭독하지도 않았고, 복음서는 짧게 끝냈고, 사도신경은 아예 들어가지 않았고, 주기도문도 건너뛰었고, 감사의 기도는 하는 둥 마는 둥했다. 그렇게 껑충껑충 건너뛰도록 법의 옷자락을 들어주기도 하고, 페이지를 두 장씩 넘겨주기도 하고, 걸상들을 넘어뜨리기도 하고, 포도주를 엎지르는 둥 능란하게 도와주면서 또 점점 더세게, 점점 더 빠르게 쉼없이 종을 흔들어대는 그 파렴치한 가리구(사탄아, 물러가라!)의 보좌를 받으며 신부는 미사를 빠르게 진행하고 있었다.

그렇게 숨가쁘게 진행되는 미사를 따라가느라고 얼이 빠진 사람들의 얼굴이라니! 남들은 한마디도 알아들을 수 없어서 신부의 몸짓만 보고 미사를 드려야 할 판이니! 일어나는데 무릎을 꿇는 사람들, 앉는데 일어나는 사람들, 어이없는

미사를 따라가는 신도들의 태도는 이렇게 각양각색으로 뒤엉키고 있었다. 하늘에서 저 아래 마구간을 향해 떠나는 성탄의 별은 이 혼란스런 광경을 보면서 새파랗게 질렸다.

"저렇게 빨리 하시니 원, 도저히 따라갈 수가 없구먼" 하고 노부인이 혼잣말을 하면서 정신을 차릴 수 없다는 듯 고개를 설레설레 저었다.

아르노통 대법관은 큼직한 철테 안경을 코에 걸치고 어디를 진행하고 있는지 찾느라고 미사경본을 뒤적거렸다. 하지만 신부와 마찬가지로 마음속으로 이제나저제나 밤참 먹을 때만 기다리는 선량한 소작인들은 미사가 이처럼 빠르게 진행되는 걸 불만스럽게 여기지 않았다.

환히 빛나는 얼굴로 신도들을 향해 돌아선 발라게르 신부가 힘껏 소리쳤다. "이테 미사 에스트(이것으로 미사를 끝내겠습니다)." 이 말에 대한 대답, "데오 그라티아스(감사합니다)." 어느새 식탁에 앉아 밤참 축배라도 마신 듯 신이 나서 즐겁게 대답하는 것은 단 한 사람의 목소리밖에 없었다.

3

5분 후, 주임신부를 중심으로 귀족들이 대형 식탁에 둘러앉았다. 위에서부터 아래까지 온통 불빛이 휜한 성은 노랫소리와 고함소리, 웃음소리로 떠들썩했다. 양심의 가책에 시달리는 발라게르 신부는 통통한 암평아리 날개에 포크를 꽂으면서 맛있는 고기즙과 교황의 포도주를 실컷 먹는 것으로 마음을 달랬다. 하지만 너무나 많이 먹고 마신 탓에 성직자는 회개할 시간조차 갖지 못한 채 그 밤으로 숨을 거두었다. 그리고 아침에 신부는 간밤의 엉터리 미사로 인해 아직도 떠들썩한 하늘나라에 이르렀다. 거기서 신부가 어떤 대접을 받았을지 그건 상상에 맡기련다.

"내 눈앞에서 썩 물러가거라, 몹쓸 신부 같으니라고!" 만물의 주인이신 하느님이 신부님에게 말씀하셨다. "너는 한평생의 덕행을 모조리 지워버릴 정도로 큰 잘못을 저질렀다. 나의 자정미사를 하나 도둑질하였으니 삼백 번의 미사로 그 죗값을 치러라. 너의 잘못으로 인해 너와 함께 죄를 지었던 사람들이 모두 모인 너의 그 예배당에서 삼백 번의 성탄미사를 드려야만 천국에 들어올 수 있느니라."

이 이야기는 올리브의 고장에 전설처럼 전해지고 있는 발라게르 신부의 실화다. 오늘날 트랭켈라즈 성은 존재하지 않지만, 예배당은 방투 산꼭대기, 떡갈나무 숲에 아직도 우뚝 서 있다. 떨어진 문짝이 바람에 덜커덩거리고, 문지방은 잡초가 무성하고, 제단 귀퉁이들과 스테인드글라스가 이미 오래 전에 사라진 창틀 구멍에는 새들이 둥지를 틀었다. 하지만 해마다 크리스마스 이브에는 이 폐허의 성에 초자연적인 빛이 나타나고, 농부들은 미사와 밤참을 먹으러 가면서 눈이 오나 바람이 부나 한데서 타오르는 보이지 않는 양초 불빛으로 훤한 유령 같은 예배당을 보게 된다. 웃고 싶으면 웃어도 좋다. 하지만 그 고장에 사는 가리게라는 이름의 포도농사꾼—가리구의 후손임에 틀림없는—은 어느 크리스마스 이브에 술에 취해서 트랭켈라즈 성 부근의 산에서 길을 잃고 헤매다가 보았던 것을 내게 말해주었다. 밤 11시까지는 아무 일도 없었다. 불빛도, 무엇 하나 움직이는 것도 없는 고요한 밤. 그러다 갑자기 자정이 될 무렵, 종탑에서 종소리가 울렸다. 40킬로미터쯤 떨어진 먼데서 들려오는 것처럼 아득한 종소리. 곧 이어서 가리게는 오르막길에서 흔들리는 불빛 속에 움직이는 정체불명의 그림자들을 보았다. 예배당의 현관으로 들어서는 사람들의 발자국 소리와 함께 목소리가 들렸다.

"안녕하세요, 아르노통 대법관님?"

"안녕하세요, 여러분?"

사람들이 모두 들어갔을 때, 포도농사꾼 가리게는 살금살금 다가가서 부서진 문을 통해 기이한 광경을 보았다. 예배당으로 들어간 사람들이 폐허가 된 중앙 홀의 성가대석 주위에 앉아 있었다. 마치 그 옛날의 의자들이 아직도 존재하는 듯이. 물결무늬 레이스로 머리를 틀어올린 수단 옷차림의 귀부인들, 머리끝에서 발끝까지 요란스럽게 치장한 영주들, 우리의 할아버지들이 입으셨던 꽃무늬 재킷을 입은 농부들, 먼지를 하얗게 뒤집어쓴 그들은 하나같이 늙고, 시들고, 녹초가 된 모습이었다. 예배당을 차지하고 있다가 그 불빛에 화들짝 놀란 밤새들이 마치 그 불꽃이 어떤 장막에라도 가려져 있는 듯이 이따금 양촛불들 주위를 서성거렸다. 제일 재미있는 것은 큼직한 철테 안경을 쓴 인물이었다. 그 검은 가발 위에 올라앉아서 발이 딱 달라붙은 듯 끄떡도 않는 새 한 마리가 날개를 조용히 파닥거릴 때마다 그는 고개를 설레설레 젓고 있었다.

어린애처럼 자그마한 몸집의 노인이 성단소 한복판에 꿇어앉은 채로 방울도 없고, 소리도 나지 않는 종을 죽을힘을 다해 흔들고 있는 동안, 빛 바랜 금색 법의를 입은 신부가 제단 앞을 왔다갔다하면서 한마디도 들리지 않는 기도문을 외우고 있었다. 물론, 이 사제는 세 번째 독송미사를 집전하고 있는 발라게르 신부님이었다.

고셰 수사님의
약초 술

L'élixir du révérend père Gaucher

"맛을 좀 보시죠. 아주 기가 막힐 겁니다."

그렇게 말하고 나서 그라브송 주임신부는 금빛 도는 초록빛의 따뜻하고 감미로운 액체를 마치 보석 세공인이 진주알을 세듯 아주 조심스럽게 한 방울 한 방울 따라주었다. 과연 뱃속이 기분 좋게 뜨뜻해졌다.

"고셰 수사의 약초 술이라는 건데, 우리 프로방스의 기쁨이자 건강주지요." 주임신부가 자랑스러운 듯이 말했다. "당신의 풍차 방앗간에서 8킬로미터쯤 떨어진 프레몽트레 회 수도원에서 만드는 술이랍니다. 샤르트르 수도원에서 만드는 모든 술을 이 술에 비하겠습니까? 이 술에 얽힌 이야기

또한 어찌나 재미있는지! 한번 들어보시오."

법의처럼 빳빳하게 풀먹인 밝은 색 커튼과 작은 성화들로 장식한 소박하고 고요한 사제관 식당에서 그라브송 신부는 약간은 불경스러운 이야기를 악의라고는 없이, 마치 에라스무스*(1469~1536, 네덜란드 인문주의자_역주)나 아수시*(1605~1677, 프랑스 음악가이자 시인_역주)에 대한 이야기를 하듯 숨기지 않고, 있는 그대로 시작했다.

20년 전, 프레몽트레 수도회 수사들, 아니 우리 프로방스 사람들이 부르는 식으로 포교 수사들은 곤경에 빠져 있었다. 그 시절의 수도원 건물을 보았다면 정말 가슴이 아팠을 것이다.

커다란 벽과 파코메 성인의 탑은 군데군데 허물어지고 있었고, 회랑 주변은 잡초가 무성했다. 금이 쩍쩍 가 있는 기둥들, 부서진 벽감 속의 석상들. 스테인드글라스는 온전한 데가 없고, 제대로 달린 문짝 하나 없었다. 그래서 론 강의 거센 바람이라도 불어닥치면 안마당이고 예배당 안이고 무사한 데가 없었다. 걸핏하면 양촛불이 꺼지고, 유리문의 납땜

이 망가지고, 성수반의 물도 남아나질 않았다. 하지만 가장 처량한 것은 빈 비둘기집처럼 고요한 수도원의 종탑이었다. 그런데도 종을 사들일 돈이 없어서 아몬드나무 딱딱이로 아침기도 시간을 알려야 했으니!

불쌍한 수사들! 성체 축일에 레몬과 수박으로 끼니를 때우는 야윈 몸에 누더기를 걸친 처량한 모습으로 거리행렬을 하는 수사들, 그 뒤로 벌건 대낮에 금칠이 벗겨진 지팡이와 좀 먹은 삼각모를 보이는 것이 부끄러워 고개를 떨구고 따라가는 수도원장의 모습이 아직도 눈에 선하다. 행렬에 끼어 있는 신심회 수녀들은 동정의 눈물을 흘렸고, 뚱뚱한 기수들은 초라한 수사들을 손가락질하면서 자기들끼리 나직한 소리로 비아냥거렸다.

"찌르레기도 떼를 지어 몰려다니면 입에 풀칠하기도 힘든 법이거늘."

수사들은 결국 세상으로 나가 각자 제몫의 양식을 구하는 것이 더 낫지 않을까 하는 생각을 하기에 이르렀다.

그래서 이 문제를 진지하게 논의하고 있던 어느 날, 고세 형제가 수도원장에게 면담을 청한다는 전갈이 왔다. 이 고세 형제는 수도원의 소몰이였다는 걸 참고로 말해둔다. 다시 말해서 포석 틈새를 비집고 나온 풀을 찾아다니는 깡마른 암소 두 마리를 따라 수도원을 이리저리 돌아다니는 것이 그의 일이었다. 보 마을에서 열두 살 때까지 베공 아주머니라고 불리는, 머리가 약간 이상한 노파의 손에 길러지다가 수도원에서 거두어준 터라 고세 형제는 할 줄 아는 것이라고는 짐승을 몰고, 주기도문을 프로방스어로 외우는 것밖에 없었다. 머리가 둔하고 우직했던 것이다. 망상에 빠지는 면이 있긴 해도 신앙심이 깊은 고세 형제는 고행을 하면서도 확고한 신념을 갖고 즐거운 마음으로 규율을 따랐다.

회의실에 들어선 고세 형제가 딴에는 예의를 차리느라고 한 발을 뒤로 쭉 빼면서 인사하자 수도원장과 수도참사회원들, 회계 수사들은 웃음을 터뜨렸다. 희끗희끗한 머리에 염소수염, 정신이 나간 사람처럼 멍한 눈, 그 선량한 얼굴의 고세 형제가 나타나면 어디서나 늘 웃음이 터져나오곤 했다. 사람들이야 웃든 말든 정작 고세 형제는 태연했다.

"수사님들," 고세 형제가 올리브 씨로 엮은 묵주를 돌리면서 우직한 어조로 말했다. "빈 통일수록 소리가 더 잘 난다고 하는 건 정말 맞는 말인가 봅니다. 텅 빈 머리나마 쥐어짜고 짰더니 이 곤경에서 우리 모두를 구해낼 방법을 제가 찾은 걸 보면 말입니다.

그 방법은 이렇습니다. 어렸을 때 저를 길러주셨던 그 착

한 베공 아주머니 아시죠? 술만 마시면 아주 상스러운 노래를 부르는 음탕한 늙은이라서 하느님이 데려가셨지만요. 그런데 그 베공 아주머니가 약초에 대해서라면 코르시카의 늙은 지빠귀보다도 훤히 알고 있었던 분이라는 걸 알려드립니다. 말년에는 나랑 알피유 바위산에서 캐온 대여섯 가지 약초를 가지고 비길 데 없이 훌륭한 약초 술을 만들었지요. 옛

날 일이지만 성 아우구스티누스께서 도와주시고 원장님이 허락만 해주신다면, 기억을 더듬어서 그 신비의 약초 술 제조법을 알아낼 수 있을 거라고 생각합니다. 그 술을 병에 담아 좀 비싼 값에 내다 팔기만 하면 트라피스트 수도원의 형제들이 해냈던 것처럼 우리 공동체를 부유하게 만들 수……."

고셰 형제가 미처 말을 끝낼 겨를도 없이 수도원장이 일어나서 끌어안았다. 수도참사회원들은 손을 잡아주었고, 누구보다도 흥분한 회계 수사들은 고셰 형제의 너덜너덜하게 헤진 두건에 입을 맞추었다. 그러고는 각자 논의를 하기 위해 제자리로 돌아갔다. 수도원 참사회는 즉시 고셰 형제가 약초 술 제조에 전념할 수 있도록 암소들을 트라시빌 형제에게 맡기기로 결정했다.

그 착한 고셰 형제가 베공 아주머니의 주조 비법을 어떻게 알아내기에 이르렀을까? 어떤 노력의 대가를 치렀을까? 얼마나 많은 밤을 지새웠을까? 그 이야기는 전해지지 않는다. 다만 확실한 것은 그로부터 여섯 달 뒤에 트레몽트레회 수도

원의 약초 술은 이미 널리 알려져 있었다는 사실이다. 콩타 지방과 아를에서는 집이든, 농가든, 곡간이든 특주 술병과 올리브 술항아리들 사이에 프로방스의 문장을 새겨서 밀봉하고, 술 취한 수도사를 그린 은색 라벨을 단 갈색 토기 술병이 하나쯤은 꼭 놓여 있을 정도였다. 약초 술이 유명해진 덕분에 프레몽트레회 수도원은 대번에 부유해지면서 파코메 성인의 탑이 다시 세워졌다. 수도원장은 삼각모를 새로 구입했고, 예배당에는 스테인드글라스가 끼워졌다. 그리고 부활절 아침에 아름답게 꾸민 종탑에서는 크고 작은 종들이 요란하게 울리게 되었다.

약초 술의 성공으로 참사회를 기쁘게 해준 고셰 형제, 노동수사에 지나지 않는 고셰 형제의 위상은 완전히 달라져 있었다. 이제는 머리 좋은 박식한 수사님으로 알려진 고셰 형제는 수도원의 잡다한 일이 완전히 면제되어 온종일 주조장 酒造場에 틀어박혀 지냈고, 그 사이에 서른 명의 수사들은 향기로운 약초를 캐기 위해 산을 뒤지고 다녔다. 아무도, 심지어는 수도원장도 함부로 들어갈 수 없는 주조장은 수도원 정원 끝자락에 비어 있는 오래된 예배당이었다. 순박한 수사들은 주조장을 뭔가 신비하고 무시무시한 곳으로 여기고 있었다. 어쩌다가 용감하고 호기심 많은 어린 수사가 덩굴 포도나무에 달라붙어서 용케 현관의 장미꽃 모양 유리창까지 기어올라가긴 했지만, 마법사 같은 수염에 주정계*(알코올의 함량을 측정하는 액체 비중계_역주)를 들고 화덕에 몸을 숙이고 있는 고셰 신부의 모습을 보고는 기겁해서 대번에 굴러 떨어지곤 했다. 더구나 주조장은 온통 장밋빛 진흙으로 빚은 작고 큰 증류기들이며 구불구불한 유리관, 그 이상하게 생긴 것들이 스테인드글라스로 비쳐드는 붉은 빛 속에서 타오르는 듯이 번쩍였던 것이다.

날이 저물고 마지막 기도 시간을 알리는 종이 울렸을 때, 그 비밀스런 주조장의 문이 조심스럽게 열리더니 고셰 수사가 저녁미사를 드리러 예배당으로 들어갔다. 수도원을 지나갈 때 그가 얼마나 환대를 받았겠는가! 형제들은 그가 지나가는 길에 열을 지어 서서 수군거렸다.

"쉿! 주조 비법을 알고 있는 형제야!"

뒤를 따르는 회계 수사는 머리까지 다소곳이 숙이고 말을 건네고 있었다. 이런 아침 속에서 흡사 후광처럼 넓은 챙이 뒤쪽으로 젖혀진 삼각모를 쓴 고셰 수사는 이마의 땀을 닦으면서 흐뭇한 표정으로 주변의 오렌지나무들이며 새 바람개비들이 빙빙 돌아가는 파란 지붕, 눈부시게 하얀 회랑의 우아하게 단장한 기둥들을 둘러보았다. 새 옷을 입은 수도참사회원들이 2열 종대로 서서 생기가 넘치는 얼굴로 행진하고 있었다.

'저렇게 된 건 다 내 덕분이야!' 하고 고셰 수사는 속으로 말했다. 이런 생각을 할 때마다 그의 가슴속에서는 오만이 점점 싹트고 있었다.

고셰 수사는 이 오만에 대한 벌을 톡톡히 받게 된다.

어느 날 저녁미사가 진행되고 있을 때, 고셰 수사가 몹시 흥분했는지 시뻘건 얼굴에 두건까지 비딱하게 쓰고 헐떡거리며 들어섰다. 그러고는 무척 당황해서 성수반에 팔꿈치까지 넣는 바람에 옷소매가 흠뻑 젖었다. 처음에는 미사에 지

각을 했기 때문에 떨려서 그런 거라고 생각했지만, 제단이 아니라 파이프오르간과 누대에 경배하더니 쏜살같이 예배당을 가로지르지를 않나, 또 한참을 헤맨 끝에야 자기 자리를 찾지를 않나, 게다가 자리에 앉아서는 행복한 미소를 지으며 이리 굽실 저리 굽실 인사를 하지 않나, 너무나도 어이없는 수사의 행동을 보고 여기저기서 웅성거림이 일었다.

"고셰 수사가 왜 저러지? 대체 무슨 일이 생긴 거야?"

수도원장은 참다 못해 조용히 해줄 것을 당부하기 위해서 두 번씩이나 지팡이를 떨어트렸다. 성직자석에서는 여전히 시편이 낭송되고 있었지만 대답은 활기가 없어지고 있었다.

기도가 한창일 때 갑자기 고셰 수사가 몸을 뒤로 젖히더니 우렁차게 노래를 불렀다.

파리에 상경한 포교수사,

파타탱, 파타탕, 타라뱅, 타라방…….

경악한 사람들이 모두 일어나서 소리쳤다.

"어서 수사를 끌어내요. 마귀가 든 겁니다."

수도참사회원들은 성호를 그었고, 수도원장은 지팡이를 마구 휘둘렀다. 하지만 고셰 수사의 눈에는 아무것도 보이지 않았고, 아무 소리도 들리지 않았다. 힘센 수사 두 명이 진짜 마귀가 든 것처럼 버둥거리면서 연신 파타탱, 타라방을 노래하는 고셰 수사를 성직자석의 작은 문 밖으로 끌어내야만 했다.

그 다음날 새벽, 수도원장의 기도실에 꿇어앉은 고셰 수사는 죄를 고백하면서 눈물을 펑펑 흘렸다.

"원장님, 약초 술 때문입니다. 그 술이 저를 그렇게 만들었습니다." 고셰 수사는 가슴을 치면서 말했다.

그토록 부끄러워하면서 참회하는 수사를 보면서 수도원장은 마음이 흔들렸다.

"자, 자, 고셰 수사, 진정하세요. 그 모든 것은 햇볕에 이슬이 마르듯 사라질 겁니다. 어쨌든 그 사건은 수사가 생각하는 것만큼 그리 큰 물의를 일으킨 것은 아니에요. 그 노래는 좀 문제가 있었지만……. 다만 어린 수사들이 그 노래를 듣지 않았기를 바랄 뿐입니다. 이제 어떻게 된 일인지 말해보세요. 약초 술을 시음하다가 그렇게 된 게지요? 너무 힘이 들어서 그만……. 압니다, 나는 이해해요. 화약을 발명한 슈바르츠 형제처럼 수사도 그 발명품에 희생된 겁니다. 그 무서운 술을 직접 시음하는 것이 꼭 필요한 일입니까?"

"불행히도 그렇습니다, 원장님. 시험관으로는 알코올의 강도와 도수를 알 수 있지만, 끝마무리를 위한 부드러운 맛은 오로지 제 혀에 달려 있으니까요."

"그런가요? 알겠어요. 하지만 한 가지 묻겠습니다. 부득이 술맛을 봐야 할 때 느낌이 좋습니까? 쾌락이 느껴집니까?"

"유감스럽게도 그렇습니다, 원장님." 고셰 수사는 얼굴이 빨개져서 대답했다. "이틀 밤을 그 향기에 취해 있었으니까요! 악마가 저에게 나쁜 장난을 치는 것이 틀림없습니다. 그래서 이제부터는 오직 시험관에만 매달리기로 결심했습니다. 술이 전보다 맛이 떨어져도, 전만큼 기포가 일지 않아도 어쩔 수 없는 일······."

"그래서는 안 됩니다." 수도원장이 재빨리 말을 가로막았다. "고객의 불만을 살 일을 만들어서는 안 되지요. 이제부

터 해야 할 일은 방심을 하지 않는 것입니다. 예방을 하려면 어떻게 하면 되겠습니까? 열다섯 아니 스무 방울? 시음할 때의 양을 스무 방울로 제한합시다. 스무 방울로도 당한다면 그 악마는 교활하기 짝이 없는 놈이겠지요. 그리고 불미스러운 사고를 미연에 방지하는 차원에서 이제부터는 예배당에 오는 걸 면해드리겠습니다. 앞으로는 주조장에서 저녁예배를 드리세요. 마음을 편안하게 갖고 시음을 할 때는 몇 방울인지 세는 걸 잊으면 안 됩니다."

하지만 고셰 수사가 아무리 방울을 세어본들 무슨 소용 있을까! 악마가 그를 놓아주질 않는데.

주조장에서 아주 괴상한 기도 소리가 들리고 있는 걸 보면!

낮에는 그런대로 순조로웠다. 고셰 수사는 평온한 마음으로 풍로와 증류기들을 준비해놓고, 가느다란 풀, 잿빛 도는 풀, 톱니처럼 생긴 풀, 햇빛에 그을린 것 같은 향기로운 풀 등 프로방스의 온갖 약초를 정성스레 추려냈다. 하지만 저

녘에 약초들이 달여지면서 순동 양푼에 담긴 술이 미지근해질 때에는 불쌍한 수사의 수난이 시작되었다.

"……열일곱 ……열여덟 ……열아홉 ……스물!"

빨대에서 술이 한 방울 한 방울 은컵으로 떨어지고 있었다. 수사는 이 스무 방울의 술을 단숨에 삼켰지만 기쁨이라곤 느껴지지 않았다. 수사는 스물한 번째 방울을 먹고 싶은 마음만 간절했다. 오! 스물한 번째 방울이여! 그 유혹을 물리치기 위해서 수사는 실험실 구석에 가서 무릎을 꿇고 열심히 기도를 드렸다. 하지만 아직 따뜻한 술에서 피어오르는 향기 그윽한 김이 코를 맴돌더니 수사를 무작정 양푼 쪽으로 끌고 갔다. 술은 금빛 도는 초록빛을 띠고 있었다. 양푼에 몸을 숙인 신부는 콧구멍을 벌름거리면서 빨대로 아주 조심스럽게 휘저었다. 수사는 에메랄드빛 물결을 일으키면서 반짝이는 액체 속에서 자신을 쏘아보면서 비웃는 베공 아주머니의 번뜩이는 눈이 보이는 것만 같았다.

'자! 한 방울 더 마셔!'

한 방울 한 방울, 가련한 수사는 결국 컵을 가득 채우기에 이르렀다. 그러고는 기운이 쭉 빠지면서 커다란 안락의자에 벌렁 드러눕게 된 신부는 눈꺼풀을 지그시 내리고 자신의 죄를 조금씩 음미하다 양심의 가책을 받고 나직한 소리로 중얼거렸다.

"아! 이러다간 지옥에 떨어지지⋯⋯ 그래, 지옥에 떨어지겠어."

가장 끔찍한 것은 이 악마 같은 술이 무슨 마법이라도 부렸는지 베공 아주머니의 상스러운 노래들이 생각난 것이었다. '수다스런 여자 셋이 연회를 벌일 궁리를 하는데⋯⋯.' '외딴 숲으로 가는 앙드레 영감의 양치기 아가씨⋯⋯.' 그러고는 그 유명한 포교수사들에 대한 노래 '파타탱 파타탱⋯⋯.'

다음날 아침 옆방의 수사들이 짓궂은 얼굴로 이렇게 말했을 때 얼마나 무안했겠는가?

"고셰 수사님, 어젯밤에 잘 때 머릿속에 매미떼라도 들어갔던가 봅니다."

그래서 절망 속에 눈물을 펑펑 흘리던 고셰 수사는 금식과

고행을 하면서 계율을 준수했다. 하지만 술의 악마는 도무
지 이길 수가 없었다. 밤마다 같은 시간이 되면 마귀가 들리
기 시작했다.

그러는 동안에도 술 주문이 쇄도하고 있었으니 그건 신의
은총이었다. 님, 액스, 아비뇽, 마르세유…… 등 여러 도시에
서 주문이 들어오고 있었다. 날이 갈수록 수도원은 공장의
모습을 띠었다. 술병을 포장하는 형제, 라벨을 다는 형제, 글
씨를 쓰는 형제, 실어 나르는 형제들. 그 바람에 하느님을 섬
기는 일이 뒷전으로 밀리면서 수도원은 본분을 잃고 있었
다. 하지만 그 고장의 가난한 사람들은 잃은 것이 없었다.

어느 일요일 아침, 회계 수사가 읽어 내려가는 연
말 결산 목록을 들으면서 수도참사회원들이
흐뭇한 얼굴로 눈을 반짝이고 있을 때, 고
세 수사가 회의실로
뛰어들어오면서 소리쳤
다.

"이젠 끝입니다. 더는 못하겠습니다……. 내 암소들을 돌려주세요."

"대체 무슨 일입니까, 고세 수사?" 무슨 일인지 대충은 짐작이 가는 수도원장이 물었다.

"원장님, 무슨 일이냐고 물으셨습니까? 저는 지금 지옥의 불에 떨어져서 쇠스랑에 찍혀 죽을 마음의 준비를 하는 중입니다. 저는 술꾼처럼 마시고 또 마시고 있습니다."

"딱 스무 방울만 세서 마시라고 하지 않았습니까?"

"아! 물론 그렇게 했지요. 그런데 지금은 몇 컵을 마시는지 그 수를 세야 할 지경이란 말입니다. 수사님들, 제가 그 지경이 되고 말았습니다. 하룻저녁에 세 병씩이나 마시는……. 이대로 계속되어서는 안 된다는 걸 잘 알고들 계시지 않습니까? 그러니 원하는 사람에게 술을 만들게 하십시오. 더 계속하면 저는 천벌을 받아서 불에 타죽을 겁니다."

수도사들의 얼굴에서 웃음기가 싹 가셨다.

"우리를 망하게 할 작정이오?" 회계 수사가 두툼한 장부를 흔들면서 고함을 질렀다.

"그럼 제가 지옥에 떨어지길 바라십니까?"

그때 수도원장이 일어나서 주교 반지가 번쩍이는 하얀 손을 뻗으면서 말했다.

"자, 자, 진정들 하세요. 좋은 방법이 있습니다. 고세 수사, 악마가 유혹하는 때는 저녁이지요?"

"네, 그렇습니다, 원장님. 저녁에는 어김없이……. 그래서 이젠 길마를 보기만 해도 벌벌 떠는 카피투의 당나귀처럼 해가 지면 진땀이 나기 시작합니다."

"그럼 됐습니다. 안심하세요. 이제부터는 저녁예배를 드릴 때마다 고세 수사를 위해서 우리는 전대사全大赦*(죄로 말미암은 유한한 벌의 전부를 면제하는 일_역주)가 이루어지는 성 아우구스티누스의 기도문을 암송할 것입니다. 그리하면 무슨 일이 일어나든 수사는 안전합니다. 죄를 짓는 동안에 사죄를 받게 되니까요."

"오! 그렇다면 좋습니다. 고맙습니다, 원장님."

그러고는 더 이상 캐묻지 않고 고세 수사는 날아갈 듯 홀가분한 마음으로 증류기들 앞으로 돌아갔다.

그때부터 저녁마다 마지막 예배가 끝날 즈음, 수도원장은 어김없이 다음과 같이 기도했다.

"우리 공동체를 위해 자신의 영혼을 희생하고 있는 우리의 고셰 수사를 위해 기도합시다…… 오레무스, 도미네……."

이 기도 소리가 마치 미풍에 살랑거리며 날아오르는 눈송이처럼 중앙 홀의 어둠 속에 꿇어 엎드린 하얀 두건들 위로 퍼져나가는 동안, 주조장의 불빛이 붉게 물든 스테인드글라스 안에서는 고셰 수사가 목청껏 불러대는 노랫소리가 들리곤 했다.

파리에 상경한 포교수사,
파타탱, 파타탕, 타라방, 타라뱅
파리에 상경한 포교수사,
어린 수녀들을 춤추게 하네
트랭, 트랭, 트랭, 정원에서
어린 수녀들을 춤추게…….

선량한 주임신부는 불안에 떨면서 이야기를 여기서 중단했다.

"야단났군! 내 교구의 신자들이 이 노래를 들었다간 큰일인데!"

알퐁스 도데에 대하여

알퐁스 도데는 1840년 5월 13일 프랑스 남부 님에서 셋째 아들로 태어났다. 아버지는 견직물 공장을 운영하였는데, 1848년 2월 혁명의 영향으로 파산하게 된다. 그리하여 그는 각지를 떠돌아다니며 생활해야 하는 불우한 어린 시절을 보낸다.

근근이 연명하는 어려운 집안 형편으로 인해 그는 교회의 성가대 학교에 들어가 라틴어를 익힌다. 다행히도 그는 그 후 부친과 친교가 있었던 대학 총장의 알선으로 정규학교인 리옹의 리세―중등학교―에 장학생으로 입학한다. 그는 그곳에서도 각종 어문학에 두각을 나타내어 우수한 문학성을 과시하였다.

이렇게 그곳 리옹에서 청소년기를 보낸 그는 어려운 상황 속에서 신앙과 독서로 위안을 찾던 어머니의 영향으로 독서에 열중하기 시작한다.

이때, 갖게 된 독서 습관은 그에게 어느덧 뛰어난 상상력과 문학적 감수성을 가져다준다. 도데는 13세가 되었을 때, 시를 쓰기 시작하게 되는데, 이 시절에 썼던 감성이 풍부한 시편들은 1858년에 출간된 그의 처녀시집 『사랑하는 여인들』에 몇 편 수록되어 있다.

1856년에 도데는 리옹에 있는 학교를 졸업하고 대학을 들어가기 위해 준비하지만, 큰형의 죽음과 아버지의 두 번째 사업의 실패로 인하여, 공립 중학교에서 복습교사를 하게 된다. 6개월 정도 이러한 생활을 하며 지낸 그는 둘째형의 도움으로 파리에서 문학에의 열정을 맘껏 발산하게 된다.

처녀작이자 마지막 시집인 『사랑하는 여인들』을 출간한 이후, 그의 작품이 언론에서 호평을 받게 되면서 신문과 잡지에 작품을 발표할 수 있는 기회가 마련된다. 이러한 기회와 함께 행운의 여신은 계속해서 그에게 손길을 뻗친다. 알퐁스 도데의 시집을 읽고 감명을 받은 왕후 외제니의 소개로 그는 입법회의 의장 모르니 공작의 비서로 들어가게 되기 때문이다.

이때 그는 상류 사회의 많은 사람들과 교제도 하면서 틈틈이 희곡도 쓰기 시작한다. 1862년에 오데옹 극장에서 공연된 『최후의 우상』은 이 시기에 발표한 작품을 토대로 한 것이다.

1866년에 모르니 공작이 사망하자 자신의 생활을 스스로 해결해야 했던 그는 열심히 소설에만 전념한다. 이때부터 서정적인 문체와 우수가 깃든 환상적인 소설들을 쓰기 시작하여 많은 사람들의 사랑을 받는 인기 작가가 된다.

그는 이듬해인 1867년 27세의 나이에 쥘리아와 결혼한다. 아내 쥘리아는 남편의 작품들을 꼼꼼이 읽으며 내조를 아끼지 않은 훌륭한 동반자였다.

이렇게 헌신적인 아내의 도움을 받으면서 어린 시절과는 다른 좋은 환경에서 그는 창작 활동에만 전념할 수 있게 된다. 그는 다양한 장르에 걸쳐 문학활동을 했는데, 그 가운데에서도 소설과 수필에서 두각을 나타내었다.

1868년에는 자신의 불우했던 어린 시절을 회상하며 쓴 『꼬마 철학자』를 발표하는데, 이 작품은 도데가 문인으로서 성공을 거두게 하는 결정적인 역할을 한다. 그런 만큼 이 작품은 불우한 어린 시절부터 경제적으로 어려움을 겪는 사춘기를 거쳐 혹독한 사랑의 시련을 겪으며 성인으로 성장하기까지를 담은 성장 소설로서 자전적 소설이다. 우리는 이 작품에서 현실과 결탁하지 않고 문학적 순수성을 보여주는 주인공을 통해 도데의 문학관을 엿볼 수 있다.

문학적 성공을 거둔 『꼬마 철학자』에 이어 그는 1869년에 여러 곳에 발표했던 단편들을 모아 서정 소설의 대표작인 『풍차 방앗간에서 온 편지』를 간행한다.

그리고 몇 년 후, 1872년에는 소설 『따르따렝의 놀라운 모험』과 희곡 『아를의 여인』을 발표한다.

1870년 7월에 보불 전쟁이 일어나자 애국심이 강했던 그는 근시로 병역이 면제되었던데도 군에 입대한다. 이 시기의 체험을 바탕으로 그는 대표작이라 할 수 있는 단편 『마지막 수업』과 몇 편의 단편을 집필하게 된다.

도데는 첫 장편소설인 『동생 프로몽과 형 리슬레』를 발표하는데, 이 작품은 출간되자마자 유럽의 각국어로 번역된다. 유럽 각국에서 출간된 이 작품은 많은 호응을 얻게 된다. 그리고 1876년에는 이 작품으로 아카데미 상까지 받게 됨으로써, 문학가로서의 그의 위치를 더욱 확고히 하는 계기가 된다. 그러나 도데는 항상 자신의 고향을 잊지 못했으며, 그의 여러 작품들 속에 고향에 대한 풍경이 묘사되어 있다.

이렇게 도데는 불우했지만 자신의 과거를 서정적인 문체로 그려냄으로써 더욱 아름답게 만들었으며, 오늘날까지도 그러한 서정성은 그를 서정 작가로 불리게 하는 동인이 되었다.

세계적인 서정 작가인 도데는 1897년에 57세의 나이로 불치의 병을 극복하지 못하고 세상을 등지고 말았다. 그는 세상을 마감하는 그날까지도 문학에 대한 열정을 보여주었으며, 병석에서의 작품 활동은 희곡 『뉘마 루메스땅』, 회상록 『어떤 문인의 회상』, 수필 『파리 30년』 등으로 결실을 맺게 된다.

도데는 살아 생전에 자연주의의 과학적 냉혹성을 다루는 일련의 작가들—플로베르, 공쿠르, 투르게네프—과 교류하면서 영향을 받기도 하였지만, 그들과는 달리 그만의 독자적인 문학세계를 확립하는 데 성공하였다.

즉 대상을 항상 애정어린 눈으로 바라봄으로써 얻어지는 연민, 미소, 눈물, 유머 등의 감정을 육화시켜 시적 정서 속에 그대로 담아낸 것이다. 따라서 우리 독자들은 그의 작품을 대할 때 소설이라기보다는 한 편의 서정시를 감상하는 기분을 접하게 된다.

그 서정성은 도데 자신이 자신의 삶을 승화시켜 얻을 수 있었던 결과물이다. 따라서 그의 작품에서는 단순한 상상력의 차원이 아닌, 누구나 공감할 수 있는 감성을 느끼게 된다. 이것이 바로 그를 세계적인 작가로 발돋움하게 한 요인이라 할 수 있을 것이다.

작품 줄거리 및 해설

『풍차 방앗간에서 온 편지』는 프랑스 작가 알퐁스 도데의 첫 단편소설집이다. 1866년부터 신문에 1편씩 발표하여 그것을 모아 1869년에 간행하였다. 서문 외에 24편으로 이루어졌으며, 그 대부분은 작가의 고향인 남프랑스 프로방스 지방의 풍속이나 민화民話를 소재로 한 것이다.

프로방스 지방을 배경으로 쓴 단편 24편 중에서, 이 책(소담 출판사, 『별, 알퐁스 도데 단편집』)에서 소개하는 단편들은 우리나라에서 널리 읽히고 있는 작품들 중 11편을 선별하여 실은 것이다.

즉 목가적이면서도 로맨틱한 분위기를 느낄 수 있는 「별」

을 중심으로 하여, 유머러스하면서도 쓸쓸한 인생고를 그린 「고세 수사님의 약초 술」, 그리고 조촐한 한 마을의 평화스런 정경을 그린 「노인들」 등의 작품들이 그것이다.

또한, 옛 것을 고집하는 풍차방앗간 노인이 기계문명에 밀려나는 모습을 그린 「코르니유 영감의 비밀」, 자유를 찾는 인간의 비극을 풍자한 「스갱 씨의 염소」 등을 이 책에 수록하였다.

위에 언급한 단편들은 아름다운 자연묘사, 서민생활의 애환, 미묘한 환상 등이 작가의 시정어린 섬세한 필치로 채색되어 그의 명성을 떨치게 하였다.

특히, 네 번째 단편인 「별」은 작가의 고향인 프로방스 지방의 목가적인 배경을 바탕으로 별과 인간의 낭만적인 서정을 한폭의 수채화처럼 그려낸 수작이다. 그 줄거리를 요약해보면 다음과 같다.

나는 마을에서 멀히 떨어진 뤼브롱 산의 목장에서 홀로 양떼를 치는 양치기 소년이다. 몇 주일씩 양떼와 사냥개만 상대하며 혼자 지내는 나는 보름마다 한 번씩 양식을 가져다주는 농장식구들에게 마을 소식을 전해 듣는 것이 가장 큰 즐거움이다. 사실 내가 제일 궁금해하는 관심사는 아름다운, 주인집 딸 스테파네트에 대한 소식이다. 어느날 뜻밖에도 스테파네트가 양식을 싣고 목장에 나타난다. 그리고 공교롭게도 그날 점심나절에 내린 소나기로 강물이 불어나 스테파네트는 마을로 돌아갈 수 없게 된다. 무수한 별들이 빛나는 밤하늘을 바라보며 나는 스테파네트에게 별에 관련된 아름다운 이야기를 들려주고 이야기를 듣던 스테파네트는 내 어깨에 머리를 기대고 잠이 든다. 나는 밤하늘의 숱한 별들 중에서 가장 갸냘프고 빛나는 별이 길을 잃고 내게 기대어 쉬는 모습을 지켜보며 밤을 지샌다.

이처럼 「별」은 어느 순박한 목동의 젊은 날의 청순한 사랑을 그렸는데, 주인집 아가씨를 연모하는 청년의 마음을 서정성 풍부한 별 이야기를 통하여 아름답게 형상화함으로써 인간의 순수성을 추구한 점이 돋보이는 작품이라 할 수 있다.

역자 후기

번역의 길로 들어서면서 첫 작품으로 번역한 『꼬마 철학자』이후 실로 너무도 오랜만에 갖게 된 알퐁스 도데와의 만남, 그래서일까, 그만큼 설레는 가슴으로 우리말로 옮기게 된 이 단편집은 역자에게 도데의 면면을 다시금 느끼는 감동을 안겨주었다.

몇 년 전 프로방스 지방을 여행하다 잠시 들렀던 님. 전 시가지를 보고 싶은 마음에 동산에 올랐다가 한눈에 들어오는 한 폭의 그림 같은 도시에서 왠지 낯설지 않게 느껴지던 푸근함, 그리고 송림 우거진 언덕에 고즈넉하게 선 낡은 풍차를 보면서 도데를 떠올렸고, 어린 시절 그가 무한한 상상력을 키웠을 로마 신전, 그가 밟고 다녔을 거리, 골목길을 천천히 걸으며 『꼬마 철학자』를 떠올렸던 아련한 기억이 새롭다.

늘 조그만 녹색수첩을 지니고 다니며 고향의 날씨와 풍습, 기질, 억양, 몸짓, 따갑게 내리쬐는 햇빛에 대해 적었다는 알퐁스 도데가 어릴 적 살았던 프로방스의 작은 마을을 회상하는 다음의 글에는 고향에 대한 애착심이 시정 넘치는 유연한 문체로 녹아 있다.

'미스트랄이 그랬던 것처럼 나도 마을 사람들과 친하게 지냈다. 나이는 어렸지만 그들의 삶을 직접 체험할 수 있었으며 면면이 이어져 내려온 마을의 전통 놀이와 노래, 민담 등도 알게 되었다. 마을 사람들은 게으름 피우는 일 없이 사시사철 열심히 일했다. 비록 그들과 어울려 고된 노동을 하지는 않았지만 강렬하게 내리쬐는 햇빛에 누렇게 익은 밀 이삭이 고개를 숙이고 포도송이가 터질 듯 익어갈 때면 행복에 넘친 그들의 풍요를 공유했다. 노을이 곱게 물들고 사위가

고즈녁해질 즈음 동네 어른들은 집 앞 돌의자에 앉아 수확의 기쁨을 도란도란 얘기하며 저녁나절을 보냈다. 그럴 때면 포도즙 향기에 취해 나는 그들의 정겨운 얘기에 귀기울이곤 했다.'

『풍차 방앗간에서 온 편지』라는 제목으로 발표된 이 단편집에 수록된 작품들에 넘쳐흐르는 따뜻한 인간미는 독자의 심금을 울려줄 뿐만 아니라 풋풋하면서 질박하고 정감 어린 문체로 공감과 연민을 자아낸다.

이제 곧 팔순을 바라보는 할머니가 이 작품을 읽고 나서 하시는 말씀, "마음이 예뻐지고 천사가 된 기분이야. 특히 「노인들」을 다시 한 번 읽었는데 그렇게 아름다울 수가 없어……." 훈훈한 감동이 전해진 이 말에서 새삼 알퐁스 도데의 위대함을 읽는다.

경제적 고통과 오랜 지병으로 인한 육체적 고통을 끈기 있게 극복해가면서 창작생활에 혼신의 힘을 기울인 도데의 모든 작품에는 소외된 인간들에 대한 따뜻한 인간애, 현실에 대한 씁쓸하고도 냉정한 인식, 당시 프랑스 사회에 대한 예리한 풍속묘사 등 생생한 감동이 녹아 있다. 실제 경험을 통해 체득한 것을 문학의 소재로 삼는다는 면에서는 도데의 작품 세계가 사실주의에 속함은 분명하다.

하지만 솔직한 감정 표현으로 대화를 진솔하게 이끌어가는 온후한 성품과 개방적인 성격의 소유자답게 그의 작품 도처에서 발견되는 특유의 유머와 풍자, 그리고 진한 인간미에서 당시에 성행하던 사실주의나 자연주의 작가들과는 취향을 약간 달리한 도데의 독자성을 엿볼 수 있다.

도데 자신의 말대로 '환상과 현실의 기묘한 혼합' 이야말로 그의 작품성의 특색이라고 할 수 있다.